JN107000

人類の没落

西洋のニヒリズム

堀江秀治

文芸社

まえがき

本書の本来の表題は「『0（ゼロ）』の哲学としての武士道・無、および日本人の『考える』能力ゼロの頭」と「『有の数字の哲学と宗教（キリスト教）』から成る欲望と戦争と」であるが余りに長すぎるので、あれこれ考えた末、本作品の結論である『人類の没落』としたものである。

ちなみに『人類の没落』は、シュペングラーの『西洋の没落』をもじったものである。

目次

序　私が祖国と愛国心を捨てた理由

私は特に自覚もなしに、人一倍、祖国を思い、愛国心を持っていたようである。だから三島由紀夫の死を羨ましくも、また彼のように死にたい気持ちもあった。が、日本人の無智、というより空っぽ頭に、そんなことをしてもなんの意味もないことも悟った。そのとき思い出したのが吉田松陰が高杉晋作に宛てた手紙の一節である。

死して不朽の見込あらばいつでも死ぬべし、
生きて大業の見込あらばいつでも生くべし

死ぬのは容易い。しかし無価値な死は意味がない。生きることの方が辛いが、それで大業とまでは行かぬにしても、いささかの業を成せればその方がいいと考え、私は著作に専念することにした。

それは辛かった（ニヒリズムに陥ってしまったこともあるが）、そしてその結論も辛かった。それは、日本は昭和二十年八月十五日に死んだ、というものだったからである。そこでそこに至るまでの論理的道筋を述べておく。

それはまず進化の問題に係わっている。進化とはそこにどういう理由があるにせよ、食うか食われるかの生存競争の世界である。

進化のメカニズムは次のように考えられる。

生命は自然環境のなかで生き延びるため、そこから情報を取り入れ、それを本能（あるいはそれに類するもの）に下降・蓄積し、その蓄積された情報を基に生を上昇させ、環境に適応できるように身体を変異させてきた。これはヒトも（生命だから）同じである。ただ、ヒトは言語を覚えてしまったから、それが言語情報に変わっただけである。そのことはヒトも食うか食われるかの戦争をする、ということである。ただヒトが他の生命と異なるのは、生命が「無」を生きているのに対し、ヒトが「時間と空間と」から成る「有る」の世界を生きることになったから、「死」の「無い」が「苦」になったことである（この辺りのことは拙著『私の愛国心』で触れたので省く）。しかも西洋は古代から戦争社会であったから、人々はキリスト教の「永遠の命」という教えを利用して、国家と共に「考える我」に基づいて愛国心という嘘（虚構）を作り出し、それを植え付けていった。そうしなければ、国家＝「我」が滅んでしまうからである。しかも西洋は大陸であり、国家と国家との戦争であるから、負ければ皆殺しにもされ、奴隷にもされるという運命が待ち受けていてもおかしくない。それはアメリカの黒人奴隷、ナチスのホロコースト等を考えれば分かることである。そこで彼ら国民（市民）は愛国心を持って、ほぼ全員で戦うことになった。そしてそれが歴史的古層化されること――この思想造語（後述）をここでは、取り敢えず愛国心という言語を無意識の層に、歴史意識として植え付けること――になったのである。

それに対し日本はガラパゴス的島国だったから、外国との戦争はほぼなかった。しかも士農工商という身分的社会を生きてきた士は、その農工商（「村」人）に食わしてもらっていた関係上、武士と「村」人との関係は、福沢諭吉が『学問のすゝめ』の「一身独立して一国独する事」の項で述べているように、武士の「主人」に対し、「村」人は「逃げ走る」「客分」という関係にあった。そのことは「村」人は「逃げ走る」だけであるから、「考える」能力はゼロ（考える視点がない）であり、国家意識もない空っぽ頭であり、武士との関係は半ばペットが主人に逆らえぬような位置にあった。

ところが明治新政府は、「主人」である武士の持っていた「考える」能力の原点である武士道を廃し、徴兵制による「村」人軍人化してしまったのである。それまで「逃げ走る」歴史しか持たぬ「村」人は、戦の歴史的古層を持たぬのにである。そこに大東亜戦争における日本兵が、勇猛かつ愚かに戦い、惨敗した理由がある。

そのように日本人全体は、ほぼ「村」社会的に思想進化した状態であったが故に、八月十五日、一晩眠ったからといって、日本人の本質（歴史的古層）はなに一つ変わらなかった。ただ彼らがはっきり自覚したのは、その空っぽ頭で「生は得」と「金儲け」とであった。だから戦後日本は、経済復興はしたものの、そんな有様だから国家の体を成していない。日本で国家統治能力を持っていたのは、かつて戦争をした武士だけだったが、それがまったく存在しなくなったのだから、そうなるのが当然である。従って「逃げ走る」「村」人は、その空っぽ頭を西洋文明・思想をマネ（真似）して埋めるしかなかった。その結果、戦後の日本とは、日本語を喋る人間がいる以外、日本を見つけることが困難なほど、西洋の猿マネ社会になってしまった。

それはたとえば、意味も分からずただ民主主義を口走り、大学では訳も分からず西洋暗記鸚鵡教授が講義をし、学生もただいい就職口のために優秀な鸚鵡になろうと努力するだけになった。それは「逃げ走る」「客分」が、ただ金になりさえすればいいだけの知能しか発達させぬことになった。

その結果として、日本人の無智は有りもしない権力を（日本はもう死んでいるのだから）作り出し、そのもう恐くはないものに文句を言って、金を巻き上げようとする振り込め詐欺的知能が生まれることになった。その典型が朝日新聞、大江健三郎氏等である。彼らがみなサヨク的であるのは、金儲けのためのものであるから、権力が保守であれば、サヨクとして文句を付けるしかないのである。しかも彼らは、西洋思想がニヒリズムを孕んでいることなど知るよしもない。つまり自前の「考える」能力を持たぬ彼らは、金儲けのために外国製のサヨク思想の、その本質を考える能力もなく、ただそれを借りてくるより外に方法がなかったのである。そんな借りものの中味のない「考える」視点だから、彼らの発言は幼稚園児のように、ただ「反対」なのである。つまり資本主義に胡座（あぐら）をかいてのサヨクであり、その意味を理解する能力もなく、ただ金儲けのためにやっているだけなのである。また国民も空っぽ頭だから、そんな彼らの魂胆など見抜けるはずもない。

ただし彼らは別に悪気があってやっているわけではない。空っぽ頭だからそも「考える」能力がないだけの話である。つまり彼らが「考える」能力ゼロだというのは、自前のそれがなく、外国からの質の悪い借りものの頭で「考えている」と思っている、すなわち中味のない猿マネをしているだけだ、ということである。
自前の頭で考えるとは、三島が三島事件の檄文で「自由でも民主主義でもない。日本だ。われわれの愛する歴史と伝統の国、日本だ」というところで「考える」ということである。

私が祖国と愛国心とを捨てたのは、歴史的古層において「逃げ走る」「客分」という、自前の頭で「考える」能力のない空っぽ頭にまで思想退化（ペット化）してしまった彼らに、何を言っても無駄だと悟ったからである。「話せば分かる」ではなく「馬鹿に付ける薬はない」である。

そんな彼らの頭には、戦後日本の平和が、単に駐留米軍によって冷凍保存されているだけで、彼らが去ったらハゲタカの餌食になるだけだ、ということが分からない。私は日本人がそこまで思想退化していることが分からず苦しんだが、ようやく得心が行き匙（さじ）を投げ、祖国と愛国心とを捨てた。戦争に負けて滅びる国はあっても、せっかく蘇った国を、今度は自ら滅ぼそうとするような民族は、正直、賞味期限切れである。
私にこれを書かせるのは、故郷（ふるさと）への哀悼からである。

人類の没落

1

序の続きとして、日本人の「考える」能力がなぜゼロなのか、というところから始めたい。

まず新渡戸稲造著『武士道』であるが、これは西洋キリスト教徒――彼は武士だったが、維新後、キリスト教に転向した――には理解できても、武士にはまったく理解できぬ書物である。

しかしある時この著書に、ある重要な指摘のあることに気づいた。それはその著書の「第一版序」である。そこに次のような記述がある。

約十年前、私はベルギーの法学大家故ド・ラヴレー氏の歓待を受けその許(もと)で数日を過ごしたが、或る日の散歩の際、私どもの話題が宗教の問題に向いた。「あなたのお国の学校には宗教教育はない、とおっしゃるのですか」と、この尊敬すべき教授が質問した。「ありません」と私が答えるや否や、彼は打ち驚いて突然歩を停め、「宗教なし！　どうして道徳教育を授けるのですか」と、繰り返し言ったその声を私は容易に忘れえない。当時この質問は私をまごつかせた。私はこれに即答できなかった。というのは、私が少年時代に学んだ道徳の教えは学校で教えられたものではなかったから。私は、私の正邪善悪の観念を形成している各種の要素の分析を始めてから、これらの観念を私の鼻腔（びこう）に吹きこんだものは武士道であることをようやく見いだしたのである。

この小著の直接の端緒は、私の妻が、かくかくの思想もしくは風習が日本にあまねく行われているのはいかなる理由であるかと、しばしば質問したことによるのである。

新渡戸にはラヴレー氏の「宗教なし！　どうして道徳教育を授けるのですか」の意味が理解できなかったか、あるいは誤解したかである。なぜなら後述するが、当時の日本庶民の間に道徳など山ほどあったのだから。

彼は武士の家に育ったから、その「道徳教育」を「武士道」として解するしかなかったのだろう。そして彼が理解していなかったのは、「どうして道徳教育を授けるのですか」の意味が、「どのような価値基準で考えるのですか」ということだ、ということである。

つまりそのことは明治になって、それまでの武士道という唯一の「考える」ことのできる思想を失うことで、日本人はマネする能力はあっても、「考える」能力ゼロの民になってしまったのである。それゆえ戦後「考える」能力ゼロの空っぽ頭になってしまった日本人は、そこを西洋文明・思想で埋めるしかなかったのである。

いずれにせよ新渡戸のこの「第一版序」は重大な意味を持つ。それは武士道とは宗教だ、ということである。

では、なぜ武士道（禅もほぼ同様）を日本人は、後世に伝えることができなかったのか？　それは武士道が、後述する「『0』（無）の哲学」だったから言葉に表せなかったのに対し、西洋文明・思想が「有の数字の哲学と宗教と」から成る欲望と戦争との思想だったから、言語表現が可能だったのである。

そしてこの「『0』の哲学」に近い哲学を西洋で唯一理解できたのがニーチェであり、そのニヒリズム（虚無）である。むろん無と虚無とはまったく別とも言えるが、それらはそのメカニズムにおいては極めて近く、彼が仏教に関心を寄せた理由もそこにある。

そして私がここでやろうとしていることは、ニーチェの言うニヒリズム（虚無）と同時に、無（「『0』の哲学」）のなんであるかを解くことである。

2

私が神話に関心を寄せたのは、ニーチェの『ツァラトゥストラ』という意味不明な書物によってであった。正直、何度読んでも私には何を言いたいのか、またどうして神話という形を取ったのか分からなかった。

私にそれが分かりはじめたのは、私が無を知り、ニヒリズムに陥ってからである。それも今だからこうして言えるが、当時の私にはそうした認識はまったくなかった。ただ狂気に陥り精神科医に通う現実があっただけである。そしてその苦しみを通して、今日ようやく無とニヒリズムとの何であるかを知るに至った。

すでに述べたように、生命は自然環境から情報を本能（あるいはそれに類するもの）に下降・蓄積させ、その蓄積された情報を基に生を上昇させ、環境に適応できるよう身体を変異させるのが進化だと述べた。そしてヒトはその情報の下降および蓄積、さらにそこからの生の上昇を言語化させた存在だとも。

この言語化とは価値化ということである。つまりサルは本能で食べられる餌等を判別していたものを、ヒトはそれを食べられるもの（むろん食物に限らず、ヒトに恵みを与えるもの）に言語よりなる価値を与えたのである。

するとその言語情報の下降・上昇の交差するところに「意識（言語）の流れ」としての、それまで混沌流動としていた無に、意識よりなる虚構（嘘）としての「有る」の世界が浮かび上がることになった。つまりヒトは自己の価値の拡大のために、混沌流動としていた無の世界を言語（価値）によって切り分け、その「有る」の世界における価値の拡大が「考える」ことの始まりとなったのである。そしてその「有る」の驚き、恐れ等を神々（神）として現したのが神話である。

だから、私の関心は神話にあるのではなく、それが現れる最初期の「有る」の部分なので、従ってそれにしか触れない。

まず古事記である。

　それ（そもそも）、混元すでに凝りて（混沌たる宇宙万物の元気、これが凝結したとは、やがて天地が開けようとする萌芽を含むさま）、気象（萌しと形は）いまだ効れず、〈その元始の〉名もなく、為(わざ)もなし、誰(たれ)かその形を知らむ（誰もその形を知りません）。

しかれども、

乾坤(けんこん)初めて分かれて、参神造化（創造）の首(はじめ)となり、

陰陽(男女)ここに開けて、二霊（二命(みこと)）群品（万物）の祖(おや)となりき。

これが『旧約聖書』の「創世記」になると次のようになる。

一　天地創造

神が天地を創造した初めに――地は荒涼混沌として闇が淵(ふち)をおおい、暴風（神の霊）が水面を吹き荒れていた――「光あれ」と神が言った。すると光があった。神は光を見てよしとし、光と闇とを分けた。神は光を昼と呼び、闇を夜と呼んだ。

神話についてこれ以上、言及する積もりはない。私の関心は、ヒトが言語情報の下降・上昇の交差するところに「意識の流れ」としての、それまで混沌流動としていた無に、意

識による虚構（嘘）として現れた神話の最初期の「有る」の部分だからである。つまり「有る」とは「何か?」であって、その「有る」形状は様々あるが――それは造物者（神の意ではない）の作った無（四次元）から生まれたものだから、外形上はともかく、それはどこかに無を孕んでいるもので――私がここで問題とするのは主に二つである。一つはインド哲学から生まれた仏教の「『0（ゼロ）』（無）の有る」と、今一つは、気候の乾燥化（砂漠化）から生まれたギリシャ哲学とキリスト教との「有の数字」の「有る」である。前者は武士道・禅の色即是空の「有る」であり、後者は西洋哲学・キリスト教のニヒリズム（虚無）を孕んだ意識（三次元身体（後述））上の「有る」である。

　これ以外にも、日本「村」人の「逃げ走る」「客分」の「有る」もあるが、彼らのそれは思想退化している（空っぽ頭の「私らしきもの」があるだけだ）から問題としない。

　日本の無は、インド哲学の解脱の思想から生まれた仏教が渡来したものである。「0（ゼロ）」の「有る」とは色即是空の色（しき）であり、それは現象界における物質的存在は、実体のない「空」としての「有る」である。そしてそれは禅の無に等しい。

　そも無とは、たとえば夜、座禅に着き、その後、禅定（ぜんじょう）の無に入り、気づいたときには夜が明けていた、というようなものである（西洋人にはこれが理解できない。「眠っていたんだろう」程度である。しからば眠るとどうして無になるのか、と聞いても答えられない。彼らには無の本質が理解できない）。

これは身心脱落によって進化を逆行し、原初のヒトとしての肉体の無に達してしまった、ということである。

この境地は色即是空と同じである。つまり言語のもつ価値を脱落し、物質的存在の世界、すなわち色(しき)の世界は価値を失い、色が空になることによって無を悟る、ということである。

3

それに対し、キリスト教の「有の数字の哲学」について先走って言えば、デカルトの「我考える、故に我あり」の「有る」は単なる意識である。しかもこれはニヒリズムを孕んだ「我」である。日本人はこの「我」を持たぬし、理解もできない。理解できぬものをマネするから、戦後の日本人の頭は滅茶苦茶なってしまったのである。

『ツァラトゥストラ』について言及する前に、いくつか下準備として私の思想造語等について触れておく。

まず宇宙は四次元であるから、そこに存在する生命も四次元である。つまり生命は四次元の本能（あるいはそれに類するもの）という無の世界を生きているのである。しかるにヒトは、進化による言語（価値）化によって「時間と空間と」からなる三次元世界を生きることになった。そうであれば当然、身体もそれに伴って進化することになる。つまりサルの本能の身体ではなく、それを四次元身体に進化させると同時に、三次元身体という意識（時間）上に快苦を感じる虚構の身体をも合わせもつ身体に変異することになった。すなわちそれによって、三次元身体という意識中を言語情報が下降し、それを四次元身体に蓄積し、その蓄積された情報を基に、ヒトはそこから生を上昇させ言動をするようになったのである。そしてそのサルの本能から変異した四次元身体に蓄積された言語（価値）の部分を古層と呼び、それが歴史化されたものを歴史的古層と呼ぶ。

それはたとえば、日本「村」人（農工商）は長年「逃げ走る」「客分」という「考えず」ともよい生活をしてきたから、一切その歴史的古層に「考える」能力は発達せず、空っぽ頭化（退化）してしまった。従って戦後の、武士を失った完全に「考える」能力を欠いた日本人は、そこを借りものの、ニヒリズムを孕んだ西洋文明・思想で埋めることになった。しかし埋めるにしてもそこはすでに退化した頭であるから、暗記鸚鵡化するしかない。それは今日、日本にどれだけ日本と呼べるものが残っているかを考えれば分かることである。

さらにサルの持っていた本能は四つの本能的価値（食餌、生殖、闘争、群れの諸価値）に進化した。

ただし、すでに挙げたデカルトの「我」はそれとは異なる。そこには群れ本能的価値がないのである。

それはヨーロッパが古代より戦争社会であり、それに勝たねばならなかったが故に――それがため死に強いキリスト教が利用されたのであり――従ってその本能的価値のなかには、群れ（私たち）本能的価値という「我考える」を許さぬ価値が障害となったのである（つまり生命という群れ本能をもつヒトは、本質的に「私は考える」ことができぬ存在だ、ということである）。そこでヨーロッパ人は戦争に勝つため、群れ本能的価値を破壊し、それに代えてキリスト教疑似群れ集団価値を作り出し、それに帰属する者は「我考える」を可能にしたのである。つまりデカルトの「我」は、ニヒリズム（群れ本能的価値が破壊されている）を孕んでいるのである。

この事実は、デカルトの哲学に肉体がないのは、彼の「我」はただ虚構からなる意識（三次元身体）だけであって、四次元身体のない、自然生命としては片端（かたわ）（ニヒリズム）だ、ということである。つまり思想進化において、生命進化の本道を外れ、欲望と戦争とのために群れ本能的価値を失ったキリスト教・ニヒリズムだ、ということである。


ニヒリズム（虚無）は実に厄介な概念である。これは無が厄介なのも同じだが（説明できぬのだから）、無は一応、肉体の思想として成り立っている。両者は、まったく同じメカニズムによって進化を逆行させ、価値を脱落させることでは同じなのだが、日本は戦争社会ではなかったから、群れ本能価値を維持してきた、つまり健全な本能的価値を持っていた。

それに対し西洋戦争社会にあっては、群れ本能的価値は破壊され、そこをキリスト教疑似群れ集団価値で埋めるという関係にあったから——西洋人がみなユダヤ・キリスト教徒なのはこのためであり——その状態で、進化の逆行によって一切の価値が脱落すると、キリスト教という価値も脱落し、その結果、群れ本能的価値を欠いた不完全な本能的価値になってしまうことによって、その不完全になった間隙を縫って、進化の逆行がサルの群れ本能にまで達してしまうことになる。これはヒトとして成り立たぬことを意味する（極めて苦痛である）が、同時に生命が肉体に持つ「力への意志」を「神秘体験」（神とは関係ない）を通して感じ取ることができることにもなる。

そのことは、ニヒリズムそのものは善悪といったものではなく、それが問題となるのは、それがキリスト教に覆い隠されている状態にある限りにおいて、極めて悪質なものになる可能性がある、ということである。

まず前者の無について述べれば、武士は武士道を、禅者は座禅をもって修行を行い、身心脱落という進化の逆行によって、本能的価値を維持する原初のヒトにまで価値を脱落し、解脱（「『0（ゼロ）』＝無の哲学」）の境地に達することによって無に至る。

それに対し虚無である砂漠に生まれたキリスト教は、本能的に生き延びるために「有の数字」としての欲望と、そのための戦争（従って彼らにとって戦争は善）との歴史的古層を持つに至った（それゆえ群れ本能的価値を破壊したのである）。つまり彼らの「我」は、本来『聖書』に基づく純キリスト者であるべきなのだが、彼らは戦争社会を生きてきたから、半ば必然的にキリスト教は戦争宗教化してしまったのである。そしてそこに進化の逆行が起こり、キリスト教という価値が脱落すると、ニヒリズムが露呈することになった。これがニーチェの場合である。

ニヒリズムそのものは、すでに述べたように苦痛であるだけで善悪の問題ではなく、むしろ思想的には、原初のヒト以前（サル）から歴史を見通すことができるから、その視線はパースペクティブ（複眼的）になることが可能である。だからニーチェは賢者の視点を持つことができたが、それがキリスト教という欲望と戦争とを肯定する宗教に覆い隠されると、群れ本能的価値が破壊されているが故に、極めて非人間的宗教になる。それがアメリカの黒人奴隷制、原爆投下、ナチスのホロコースト等を生み出すことになったのである。つまり西洋キリスト教文明は、それがニヒリズムを孕むが故に、暴力組織（恫喝・強盗・破壊）文明として優れていただけのことである。

ニーチェがキリスト教を批判し、また彼自身キリスト教徒でありながらそれを否定してしまった――それは彼の意志ではなく、神秘体験のような偶発的なことによるものであってもーその結果、彼の内部にあったニヒリズムが露呈したのである。それが彼のキリスト教とニヒリズムとの関係である。

そうであれば、ニヒリズムに陥ったニーチェの神話『ツァラトゥストラ』には、サルから原初のヒトへの進化の過程が描かれているはずである。それが以下の文章である。

4

君はおのれを「我」と呼んで、このことばを誇りとする。しかし、より偉大なものは、君が信じようとしないもの——すなわち君の肉体と、その肉体のもつ大いなる理性なのだ。それは「我」を唱えはしない。「我」を行うのである。

感覚と認識、それは、けっしてそれ自体が目的とならない。だが、感覚と精神は、自分たちがいっさいのことの目的だと、君を説得しようとする。それほどにこの両者、感覚と精神は虚栄心と思い上がったうぬぼれに充(み)ちている。

だが、感覚と精神は、道具であり、玩具なのだ。それらの背後になお「本来のおのれ」がある。この「本来のおのれ」は、感覚の目をもってもたずねる。精神の耳をもっても聞くのである。

こうして、この「本来のおのれ」は常に聞き、かつ、たずねている。それは比較し、制圧し、占領し、破壊する。それは支配する、そして「我」の支配者でもある。

わたしの兄弟よ、君の思想と感受の背後に、一個の強力な支配者、知られない賢者がいるのだ、――その名が「本来のおのれ」である。君の肉体のなかに、かれが住んでいる。君の肉体がかれである。

君の肉体のなかには、君の最善の知恵のなかにあるよりも、より多くの理性がある。しかし、いったい何のために、君の肉体は、君の最善の知恵を必要とするのだろうか。

「本来のおのれ」は君の「我」と、その得意げな跳躍をあざわらう。「思想のこういう跳躍と飛翔（ひしょう）、それはわたしにとって何なのだ」と、「本来のおのれ」はみずからに言う。「それはわたしの目的地に至るべき回り道だ。わたしは『我』の手引き紐（ひも）であり、『我』のもっている諸概念の吹込み人である」と。

「本来のおのれ」が「我」にむかって、「さあ、苦痛を感ぜよ」という。すると「我」は悩み、そしてその悩みを解消するには、どうすればいいかを考えめぐらす。――まさにそのために「我」は考えねば**ならなく**なるのである。

「本来のおのれ」が「我」にむかって、「さあ、快楽を感ぜよ」という。すると「我」

は楽しんで、もっとしばしば楽しむためにはどうすればいいかを考えめぐらす。――まさにそのために「我」は考えねばならなくなるのである。

まず「君はおのれを『我』と呼んで」の「我」（これはデカルトの「我」）は、言語情報の下降・上昇とが交差するところに現出した「有る」ではあるが、西洋人にとってこの「有る」は、肉体のないニヒリズムを孕んだ「我」である。それは肉体のない主観（意識）から客観を眺めた「我」なのだが、ニーチェはそんなものはなんら「偉大なもの」ではなく、それは「君が信じようとしないもの――すなわち君の肉体と、その肉体のもつ大いなる理性（ニヒリズム、無）なのだ」（この「大いなる理性」は、すぐ後の「肉体のなかに住んでいる『本来のおのれ（ニヒリズム、無）』」と同じである）。

この「肉体のもつ大いなる理性」は「『我』を唱えはしない。『我』を行うのである」とは、西洋の哲学者のように「我考える」主観（意識）によって「『我』を唱え」ぺらぺらと喋りはしない、肉体のもつ「我」を行うのである。

また「感覚と認識、それは、けっしてそれ自体が目的とならない。だが、感覚と精神は、自分たちがいっさいのことの目的だと、君を説得しようとする。それほどにこの両者、感覚と精神は虚栄心と思い上がったうぬぼれに充ちている」とは、「感覚と認識」とだけでは主観と客観とは成り立たず、それは「感覚と精神」とによって初めて主観と客観とが成り立つ「ことの目的だと、君を説得しようとする。それほどにこの両者、感覚と精神は虚栄心と思い上がったうぬぼれに充ちている」のである。

「だが、感覚と精神」という、主観と客観とによる思想は「道具であり、玩具なのだ。それらの背後になお『本来のおのれ』(「肉体のもつ大いなる理性」)があるのである」(ニーチェは明言していないが、デカルト以後の主観と客観との問題など実に下らぬ、と暗に示しているのである)。

なお、この「本来のおのれ」は、サルの本能が進化によってヒトの四つの本能的価値(食餌、生殖、闘争、群れの諸価値)に変異したものであるのと同時に、それはすでに述べた歴史的古層の歴史的が外れた古層でもある。つまり古層とは本能が進化によって言語化したものである。

そしてそれはヒトの意識に直に現れてはこぬが、ヒトはその本能的価値・古層に支配されていることを、ニーチェは次のように説明する。

「こうして、この『本来のおのれ』は常に聞き、かつ、たずねている。それは比較し、制圧し、占領し、破壊する。それは支配する、そして『我』の支配者でもある」は、サルの本能から進化した四つの本能的価値・古層が「常に聞き、かつ、たずねている（それは「我」（意識）がそうしているわけではない）」ということで、「それは比較し、制圧し、占領し、破壊する。それは支配する」とは、この「本来のおのれ」はサルの本能に由来する本能的価値・古層であるから、それらのことができるのであり、同時に「『我』（意識）の支配者でもある」のである。

そしてそれが「わたしの兄弟よ、君の思想と感受（感覚）の背後に、一個の強力な支配者、知られない賢者（「力への意志」）がいるのだ、——その名が『本来のおのれ』（本能的価値、古層）である。君の肉体のなかに、かれが住んでいる。君の肉体がかれである」のである。

また「君の肉体のなかには、君の最善の知恵（思想）のなかにあるよりも、より多くの理性がある」とは「我」（意識）よりも「肉体のなかには、より多くの理性（ニヒリズム、無）がある」のに「いったい何のために、君の肉体は、君の最善の知恵（思想）を必要とするのだろうか」ということである。

さらに彼はこの「『本来のおのれ』は君の『我』と、その得意げな跳躍をあざわらう。

『思想のこういう跳躍と飛翔、それはわたしにとって何なのだ』と、『本来のおのれ』はみずからに言う。『それはわたしの目的地に至るべき回り道だ。わたしは「我」の手引き紐であり、「我」のもっている諸概念の吹込み人であると』と」言う。このことは「我」とは「本来のおのれ」(本能的価値、古層)による「手引き紐」、「諸概念の吹込み人」によって支配されている(からくられている)、ということである。

このことを彼は別の著作で、「主体は虚構である」と言っていることに等しい。すなわち「我」という主体(意識)は、本能的価値・古層・四次元身体に「からくられている」(支配されている)ということである(ちなみにこの「からくる」は、三島著『葉隠入門』で武士道のニヒリズムとして引用されているものである。後述)。

そしてさらに、この「『本来のおのれ』(四次元身体、古層、本能的価値)が『我』(三次元身体という「有る」の意識)にむかって、『さあ、苦痛を感ぜよ』という、すると『我』(意識)は悩み、そしてその悩みを解消するには、どうすればいいかを考えめぐらす。――まさにそのために『我』(意識)は考えねばならなくなる(つまり「本来のおのれ」(四次元身体)は意識(三次元身体)に苦痛を伝えようと悩む)のである」。

これは次の「さあ、快楽を感ぜよ」もまったく同じメカニズムの上に成り立っている。

つまりヒトは「肉体のなかに住む『本来のおのれ』」（四次元身体、古層、本能的価値）の「手引き紐」「諸概念の吹込み人」によって、からくられている「我」という意識（三次元身体）という虚構（嘘）の「有る」の身体を生きる存在だ、ということである。ここにニーチェがサルの本能から、ヒトの四次元身体に変異すると共に、意識（「我」）を生み出す三次元身体を作り出していることが分かっていただけたと思う。

ここで一言注記しておけば、西洋人の「我」と日本「村」人の「私らしきもの」（武士は除く）とはまったく別物だ、ということである。西洋は戦争社会だったから、デカルトの神の保証の下に「我考える」に至ったのに対し、日本人の「考える」はまったく神話初期の「有る」のままであって、そこに「私」はない。

日本人は、そうした東西の思考の根本的違いが分からぬから、暗記鸚鵡化してしまったのである。そのことは日本人にとって、主観・客観など問題外だということである。それは日本が民主国家を自称しながら、軍隊も持たず、自ら憲法を作ろうともせぬことによって証明されている。つまり戦後民主主義とはまったくの虚仮（こけ）である。

そこでヒトにとって大きな問題となるのが、この「有る」ことによって生じる死という「無い」ことへの恐怖と共に、「有る」（意識）上に感じざるを得なくなった快苦の問題である。ここに宗教のもつ自己偽善および集団ヒステリーの問題が生ずることになる。

5

宗教における自己偽善は特に強いものであり、また集団ヒステリーと共通する面もあるが、別のものと見た方がよい。ただし宗教が肉体的苦痛にほとんど無力なのは、医療の発達によって病苦の軽減を宗教に求める者が、ほとんどいなくなったことからも明らかだろう。ただ神への信仰の癒やしが、心の苦痛を和らげるだけである。

自己偽善とは、ヒトは虚構（嘘）の世界を生きているから、無自覚にも自己を嘘で騙し、その騙しの能力によって、より上位の価値をもつ神という虚構（嘘）の存在を作り出し、それに祈ることによって、生の上昇による価値の拡大の快により、苦を癒やそうとするものである。

それをアナトール・フランスは次のように言う。

人は自分で神を作り出し、それに隷属する

つまり人は神の国（天国等）という永遠の命の世界という嘘（虚構）を作り出し、その価値を信仰することによって、死への恐怖から癒やされるのである。

ここで神について一言付言しておく。それはその外形は日本と西洋とでは大きく異なるが、その本質は、生命が進化において戦い生き残るために、「考える」ためのフランスの言う自己偽善に基づくものだ、ということである。しかし神の性質およびそのメカニズムは東西において異なり、日本においては武士道（禅）であり、西洋においてはキリスト教である。さらに前者の神が人（天皇、主君）であるのに対し、後者は『聖書』である。

そのことをよく承知していたマッカーサーは、天皇に人間宣言をさせた訳だが、それに憤ったのがわずかに三島くらいであったことに、彼は思わず日本人を十二歳の少年だ、と言ったのである。つまり「考える」能力ゼロに退化した民族だと。

しかし心（精神）の問題は神だけでは解決できない。永遠の命の問題ではなく、現今のそれだからである。

そこに生命がその本質にもつ生の下降・上昇の内にある肉体が本来もつ「力への意志」としての「無」の問題が生じる。

「力への意志」のもつ集団ヒステリーは、生命がただ生き延びるために、他の生命を殺し食い、またその敵から逃れるための本能として帯びているものである。

それは誰に教えられたものでもない生命の本能である。

草食動物は草を食い、それらに肉食動物が襲い掛かってくれれば、それらはそれらの持つ草食動物的集団ヒステリーによって逃れ、また肉食動物もただ生き延びるために、草食動物を食うという集団ヒステリーを本能に組み込まれている。しかも生命（動物）は無を生きているから、そこに快苦はない。しかも生命のもつ集団ヒステリーの性質は、当然ヒトに進化しても失われることはない。つまりサルから進化したヒトは、その双方の集団ヒステリーを、本能的価値、古層、四次元身体に組み込まれているのである。ただヒトは、進化によって言語（価値）化されることによって、快苦を感じることになったことが異なるだけである。

宗教のもっとも大きな要因は、ヒトが持ってしまったこの苦から逃れられぬところにある。

苦に対する宗教にできることは、ただ必死に祈ることによって、我を忘れるまでに生のもつ「力への意志」下の言語（価値）を失った無の生の下降・上昇に至ることによって、苦から解放されることである。

ヒトはそれを本能的に身につけた。それは禅における禅定の無に入ることと同じであるが、そこに至るのが極めて困難なように、祈りによって無に入ることも難しい。

さらにヒトは群れ本能的価値を持っているから、そうした祈りを教会、寺院等のようなところで行うことで、共感性価値が得られることを半ば本能的に知り、多くはそのような場所で行われる。

またこの対極に、群れ本能的価値のもつ集団ヒステリーによる生の上昇としての快を得ようとするのが、宗教としての祭りである。そしてこの快はまた、宗教としての苦への癒やしとしての快ともなる。

さらにそれが敵と遭遇した場合に起こるのが、軍事的集団ヒステリーであり、ヒトはそれを愛国心と呼ぶ。そしてこの場合も、生の上昇としての集団ヒステリーの快を呼び起こすことによって、死への恐怖が和らげられる。

ただしヒトの場合、草食動物・肉食動物、双方の集団ヒステリーを古層に帯びているから、戦後の日本人のように、完全に「逃げ走る」「村」人の草食動物的集団ヒステリーが歴史的古層化しているような場合、肉食動物的集団ヒステリーを取り戻すことは極めて難しい。

ところで宗教といっても、それぞれ著しく異なる。日本における浄土教、禅宗等、また西洋のキリスト教とではかなり異なる。

浄土教は主に「逃げ走る」「村」人の空っぽ頭のものだから、現代医学の発達によってほぼ消滅してしまった。また禅宗（武士道）という「『0』（無）の宗教」は、戦後、西洋からの「有の数字の哲学と宗教と」の流入によってこれまた壊滅状態にある。

6

西洋キリスト教文明・思想は、これまで述べてきた自己偽善の巧妙さの上に成り立っている。巧妙さといっても、彼らはそうしたくてしたわけではなく、そこが戦争社会だったから、そうなっただけのことである。

たとえば今日のキリスト教国・アメリカである。

彼らは大統領就任の宣誓式を、大統領は『聖書』に手を置いて行う。しかしその『聖書』の「マタイ福音書」には次のような記述がある。

イエスは弟子たちにいわれた、「本当にいう、金持が天国に入るのはむずかしい。繰り返すが、らくだが針の穴を通るほうが金持が神の国に入るよりやさしい」と。

あなた方が聞いたようにこういわれている、『目には目、歯には歯』と。しかしわたしはあなた方にいう、悪者にさからうな。あなたの右の頰(ほお)を打つものには、ほかの頬をも向けよ。あなたを訴えて下着を取ろうとするものには上着をも取らせよ。
あなた方が聞いたようにこういわれている、『隣びとを愛し、敵を憎め』と。しかしわたしはあなた方にいう、『敵を愛し、迫害者のために祈れ』と。

それに対してアメリカの現状は、「創世記」の「ソドムの滅亡」状態にあると言ってもよい。なぜ彼らは『聖書』に記してあることを、一行たりとも守ろうとせぬ偽善社会を作り上げたのか？

それは彼ら自身生き延びるために、自らに自己偽善による嘘をつき、自らもそれに騙されると同時に、他人をも騙すことによって生き延びてきたからである。つまり西洋キリスト教文明・思想は、その長い歴史の間に、自らが生き延びるために「有の数字の哲学と宗教と」から成る欲望と戦争とによる自己偽善によって、『聖書』に記された「ソドムとゴモラ」へと自らを回帰させていったのである。

その現れとなるのが、神を利用価値にまで引き下げたデカルトの次の文章である。

だがかように、我々が何らかの仕方で疑い得る一切のことを斥け、かつ虚偽であると考えることによって、我々はなるほど神も天も諸物体も存在せず、また我々自らが手も足も、そしてついには全く肉体をも有たないと、想定することは容易であろう。しかしその故に、かようなことを考える我々が、無であると想定することはできない。というのも考えるものが、考えるその時に存在しないことは不合理だからである。それ故に、「我考える、故に我あり」というこの認識は、一切の認識のうち、誰でも順序正しく哲学する人が出会う最初の最も確実なものなのである。(『方法叙説』)

ところで、彼にそうした哲学を抱かせた一因には、その頃までに、イスラム圏に保存されていたギリシャ哲学、およびそれの持つ数学(幾何学)の影響が少なからずあったことを指摘しておく。

さらに彼は自らの哲学の原理を証明するために、神を次のように利用する。それを竹田青嗣著『哲学入門』から一部改めて取らせていただく。

「我」は疑う。そうである以上「我」は完全な存在ではない。完全なものは疑ったりしないからだ。ところで「我」の中の神の観念は「完全な」概念だが、この観念は「我」から生じたとは考えられない。なぜなら、そうだとすると、完全なものが不完全なものから生じたことになってしまうからである。するとこの神という完全な観念は、「我」以外のどこかに存在する何か完全なものから生じたと考えるほかはない。「我」のうち「完全」かつ「無限」な観念の原因として考えられるのは「神」以外にはありえない。われわれはそういう完全で無限な属性を持った存在を神と呼ぶのだから。

デカルトの「神の存在証明」は、高等ペテン師の論理である（フランスの言葉を思い出せば分かることである）。しかし問題は、当時のヨーロッパにおいてその論理が通ってしまったことである。そのことはすでにヨーロッパ人の間に、キリスト教がニヒリズム化していたことを意味する。

なぜならその後、ヨーロッパ哲学史において、主観と客観との一致が問題となるからである。それはニーチェのところでも述べたように、肉体を外した意識だけで考えるから、そんな問題が生じるのである。

すでに述べたように、ヒトは言語情報の下降・上昇の交差するところに意識＝「有る」を生み出したにすぎぬにも拘らず、ヨーロッパは戦争社会であったが故に、「我」で「考え」ねばならなくなった結果、群れ本能的価値を破壊し、そこをキリスト教群れ集団価値で穴埋めし、「我考える」を可能にしたのである。それ故彼らは「我」からしか世界を見れず、それを主観とし、「我」の外に広がる世界を客観としたに過ぎない。すなわち、神は群れ本能的価値の穴埋めとして存在すればいいだけであるにも拘らず、彼らは「我」を得た見返りにそれに隷属しなければ生きて行かれなくなったのである。

その状態をパスカルは次のように批判する。

> 私はデカルトを許すことができない。彼はその全哲学のなかで、できれば神なしにすませたいと思った。だが彼は世界に運動を与えるために、神に最初のひと弾きをさせないわけにはいかなかった。それがすめば、もはや彼は神を必要としない。

しかしデカルトにとって、パスカルの批判も、自らの哲学がニヒリズムを孕んでいることも、主観と客観との一致の問題も、また自分の哲学に肉体のないことも、彼にはどうでもよかったのである。彼にとって問題だったのは、「我考える」の視点を持つことだけであって、その他のことは自己偽善によって完全に葬り去られたのである。

私はニヒリズムを厄介だと言ったが、それはデカルトの哲学に見られるように、そこに肉体があるのに無いことにしたところにある。そのことはニヒリズムは無と違って、肉体の思想として成り立たぬ、ということである。

むろんデカルトにそのことは意識できていないから、彼の哲学は次のような問題を惹起するのである。

第一に、生命は肉体という無の生の下降・上昇を生きているのを、ヒトはそれを言語情報の下降・上昇に進化させ、そこに「有る」を現出させた。ところがそれをデカルトは、その肉体のもつ無（「0」）の生の下降・上昇を捨て去り、ただの言語情報の下降・上昇（意識）だけにしてしまったのである。デカルトの哲学に肉体がないとは、そういうことである。

第二に、デカルトの肉体のない「我」とは、虚構（意識だけ）であって、それに対して造物者が作った地球という自然は、四次元生命の（四次元身体も含めた）ものであり、それを西洋人のように三次元身体という虚構（意識）だけの存在であるニヒリズムを帯びた欲望と戦争とに走る「我」だけにすることによって、自然を勝手に破壊して行くことは、いずれ地球をヒトの住めぬ環境にしてしまうだろうことである。

第三に、自然科学とは、そも生命そのものが生存のために殺し合うところに生まれた殺しの学問であって、そのためにヒトが自然の配列を数学によって並べ換えることは、西洋文明の本質が欲望と戦争とから成っていることの証であり、その欲望は人命を犯し、また自然をも破壊することになる。それは確かにヒトに利益を齎しはしたが、それは同時に西洋人がヒトの幸福はニヒリズムを孕んだ「我」の「有の数字」（欲望）を増すことだとしか考えられぬ、という欠陥に繋がることになる。つまり彼らは肉体の思想を切り捨てることによって、ニーチェのいう「肉体のもつ大いなる理性」による歯止めが利かなくなる、ということが分からなかった。

つまり科学の欲望は、一方においては核戦争に走らせ、また他方、原子力発電という恵みを齎すにしても、それは福島第一原子力発電所事故が示すように、所詮、自然の脅威には立ち向かえぬ、ということである。

しかも西洋人の頭の悪さは、デカルトの「我」でしか考えられず、その頭で核兵器を作り出したのであれば、その同じ悪い頭がどうして「核兵器のない世界」を実現できると考えられるのか、ということである。

そうした西洋キリスト教文明に対し、ニーチェは価値の転換を言った。そうしない限り、核兵器以外にも、人類に様々な災厄を齎すものを取り除くことは出来まい。彼が仏教に関心を寄せた理由もそこにあった。仏教はニヒリズムを孕んでいないから。

第四に、西洋文明は砂漠に生まれたから、「我」の欲望と戦争と（価値の拡大）を歴史的古層に植え付けられており、「我」化しているから、「私たち」の幸福という価値観がない。つまり何兆円もの金を持つ者も、それを増(ふ)やそうという発想はあっても、それを貧しい者と分かち合おうというそれがない。つまり世界をすべて「有の数字」の拡大からしか見れぬのである。だから彼らにとって、たとえばゴッホの絵は数億円の値が付けられているから美しいのであって、美しいから数億の値が付いているわけではないのである。もし美しさを求めるのなら、多量の複製画を生産すれば済むことだ、という発想ができない。それに対して「『0（ゼロ）』の哲学」を生きてきた、かつての日本人は無心だったから、0（ゼロ）円の価値しか持たぬ月（つき）に美を感じることができたのである。

それに比べ、西洋人は0（ゼロ）円の月に対して美を感ずることはない。ただそこから、欲望から成る「有の数字」を引き出そうと月へ行くだけである。それによって「我」の欲望は満たされるかもしれぬが、「我々」（私たち）のためにはなんの恩恵も齎さない。つまり西洋人は金目でしか世界を見れぬのである。

彼らの頭の悪さは、たとえば共産主義思想にも見て取れる。彼らは歴史的古層において群れ本能的価値を破壊されているから、群れ（私たち）の共感性価値（過去の日本人が持っていたもの）を持たず、デカルトの「我」でしか「考えられぬ」から、ただ理屈だけの最悪な思想になってしまったのである。

そしてこれはまた、資本主義の富の上に成り立っている民主主義についても言える。

資本主義は、群れ本能的価値を破壊されたデカルトの「我」に基づく、「有の数字の哲学と宗教と」から成る欲望と戦争とから生まれたものであり、その下での民主主義であればこそ「欲望の資本主義＝民主主義」になるのは当然である。従って近代民主主義もニヒリズムの範疇のものである（日本人は「我」を持たぬから、それを「村」社会談合派閥主義としか理解できない）。

さらに彼らの頭の可笑しさの例を今一つ挙げる。

ハイデガーは、「無とは何であるか」という問いそのものがおかしい、という。無を問うのに、あるという仕方で提出するのは矛盾ではないか、というのである。（玉城康四郎著『仏教の根底にあるもの』）

ハイデガーの間違いは、「無」と「ある」とは対照関係にあるものではなく、ニーチェも言うように「有る」とは「我」（意識、三次元身体）であるのに対し、「無」とは「肉体のなかに住む『本来のおのれ』」（古層、四次元身体）であって、そも「無とは何であるか」とは問えぬ性質のものであることが分かっていない。西洋人の「肉体」を切り捨てた「我」には、永遠に「無」は理解できない。「無」は「肉体のもつ大いなる理性」のものなのだから。それを理解できるとしたら、それはキリスト教を否定したニーチェと同じニヒリズム（虚無）に陥るしかない。

7

話をちょっと脱線させてもらい、私事を述べさせてもらう。

私は少年時代を田舎で過ごし、そこで自然と一体となることによって、そこで「有る」ことの驚きと同時に、無を知ることになった（もっとも「有る」の方は一晩眠っただけで忘れてしまったが）。

むろん当時の私に、それらへの自覚はまったくなかったが、その結果として、戦後教育までも資本主義化してしまった日本に、私はまったく順応することができなかった。つまり資本主義における学問とは、ただ金のための暗記鸚鵡になることであって、その結果「考える」必要はなく、また資本主義思想のもつ主人と奴隷との労働関係にも、私はまったく適応できなかった。さらに追討ちをかけるように、私はニヒリズム（虚無）に陥ってしまった。むろんそれらの事が自覚できるようになったのは、中年以降のことであるが。

そのことで思い出されるのが（私は他人の言葉に驚くような人間ではないが）、ただ一度びっくりさせられたことがある（それは多分、日本人の誰も驚かぬようなことだろうが）。それは福田康夫総理大臣が、記者の質問（内容の記憶はない）に対し、向っ腹を立て次のように答えたことだった。

私はあなたと違って世界を客観的に見ることができるんですよ

その当時、なんでそんなに驚いたのか理解できなかったが、かなりの衝撃だった。その理由は今では分かる。それは言うまでもないが、日本人はキリスト者・デカルトの「我」（主観）を生きているわけではないから、世界を客観的になど見れるわけがないのである。ましてや戦争とは無縁の日本「村」人に、客観など分かるはずがない。ただ日本人の「マネする」ことが「考える」ことだと思っている猿マネ頭が、そう思わせているだけである。

客観的に見るとは、ヒトをも「延長する物質（モノ）」として見ることができる――科学とはそういうニヒリズムを孕んだ学問だ――ということであり、それはＷＡＳＰ（プロテスタント白人）が黒人を奴隷化することができたのも、ナチスのホロコーストも、また日本への原爆投下も、その視点からだということである。

それはすでに述べた新渡戸の『武士道』におけるラヴレー氏の「あなたのお国の学校には宗教教育はない、とおっしゃるのですか」「宗教なし！　どうして道徳教育を授けるのですか」は、よくも悪くもそういう「考える」視点を持たせることであり、新渡戸はその答を武士道に見出したのである。

つまり武士道を失った日本人は、完全に自前の「考える」能力である「私」の視点を失い（単眼で見ることもできず）、空っぽ頭化してしまった結果、それを埋めるために西洋文明・思想の暗記鸚鵡になってしまったのである（ちなみにニーチェや私のようなニヒリストは複眼で見ることができる）。日本人が武士道のような視点を持っていれば、これほど酷い（日本がなくなってしまうような）西洋化は起こらなかっただろう。三島が「日本」にこだわった理由もそこにある。

ただ日本人が自前で「考える」能力を失っていたのは、なにも戦後に起こったことではなく、戦前からのものである。

それは大東亜戦争において、すでに「村」人軍人によって「何となく何物かに押されつつ、ずるずると国を挙げて戦争の渦中に突入した」（丸山眞男）ところにも現れている。そして戦後になると、「逃げ走る」「客分」の歴史的古層を持つ者しかおらぬ、完全な空っぽ頭になってしまった日本人は、意味も分からず、ただ金になりさえすればいいとして、西洋文明・思想の猿マネに走ったのである。

そして「できれば日本語なしにすませたい（アメリカ人になりたい）と思った」かのように、至る所で英語を使う仕儀となったのである。

仮に洋書を原語で読めたとしても、日本人の歴史的古層は「村」人だから、結局、日本語で読んでいるのとなんら変わらない（だから私はもう何十年も前に、洋書を読む努力はやめた）。そのことは、福沢が思想家になれたのは、彼が洋書を読めたからではなく（当時はその必要もあっただろうが）、彼が生粋の武士だったからである。

そんなであれば、西洋の学問をいくら学んでも、その本質にあるのがキリスト教・ニヒリズムであることなど分かるはずもない。仮に日本人が真に「考え」ようとするなら、武士の「無私」の視点で「考える」しか道はない（このメカニズムについては後述）。

西洋キリスト教文明・思想の本質は、そこが古代から戦争社会であったこと、そして紀元前一二〇〇年頃、ギリシャ、シリア、トルコにおいて気候の乾燥化による砂漠化が起こったことで、それ以前の文明が失われ、代わってギリシャ哲学、キリスト教、イスラム教（これについては触れない）が生まれたことにすべての発端がある。

つまりそれらの地がもともと無（「0」(ゼロ)）の土地であったから、そこに生まれたのが「有の数字の哲学と宗教と」であり、その思考法は生き延びるために、欲望（生）と戦争（死）とのそれに成り、それを歴史的古層に蓄積することになったのである。

そうした社会であれば、戦争に敗けることがどれほど悲惨である（それは勝者の残虐性でもある）かは明らかだろう。

そうであれば、彼らはなにがなんでも勝たねばならなかった。それに利用されたのがキリスト教である。

『新約聖書』が記すように、イエスは自らの死をも顧みずに、敢然と権力に立ち向かい、磔刑に処されて死んだ。そうであれば彼の行為が民衆に支持されたのは当然だろう。そして彼の教えに従い殉教して行く者も現れた。それを見たローマ帝国の為政者たちは、それを軍事に利用するために国教化したのである。

ちなみに義のために死ぬことも辞さなかった、明治維新の際、武士だった新渡戸、内村らが、キリスト教に転向した理由もそこにある。だが、日本は平和だったから、彼らにはキリスト教が自己偽善によって、もはや『聖書』の世界とは異質なものになっていたことに気づかなかった（ただし内村はそれに気づき無教会主義を唱えた）。

つまりキリスト教は、その生まれが砂漠であったが故に、必然的に内部に持つことになった「有の数字の宗教」としての欲望と戦争との方向に走ることによって、デカルトの自己偽善を通してのニヒリズムを孕んだ「有の数字の哲学」を生み出していくことになるのである。そして彼の「有の数字の哲学」から成る欲望と戦争とへの意志を孕んだ自然破壊の哲学は、自然科学を生み出していくと共に、さらにそこから、産業革命、資本主義、植民地主義へと発展していくことになるのである。そこにおいてキリスト教は、自己のニヒリズムを孕んだ「権力への意志」を、自己偽善によって隠蔽することになった。

そのことをマックス・ヴェーバーは『プロテスタンティズムの倫理と資本主義の精神』で次のように言う。

デカルトの「我考える、故に我あり」の語は、こうした新たな論理的意味合いで、当時のピューリタンたちの受け容れるところとなった。このような合理化は、改革派の信仰に独特な禁欲的性格をあたえたが、このことがまた、カトリックとの独自な対立とともに、両者の内的類似を根拠づけるものとなった。

このヴェーバーの言葉は、デカルトの「延長する物質」をピューリタン（WASP）が黒人を奴隷として受け入れたところからも、同じ価値観であることが分かる。そしてこの自己偽善のトリックである禁欲的性格は、まさにニヒリズムを孕んだ傲慢な資本主義へと発展していくことになるのだが、彼にはそれが分からなかった。

この禁欲的性格はカルヴァン主義に由来するものなので、その意を『世界史事典』から引く。

ルターの福音主義から出発して、アウグスティヌスの厳粛な信仰に復帰した反面、近代社会の要請に応じる市民的倫理を提供した。それは、(1)真理は教会の権威的決定ではなく、『聖書』の啓示による。(2)全知全能なる神の意志は不可知。(3)救済に選ばれる者は神意により予定され、その運命は変更できないとする「予定説」を説く。だが地獄への不安や自棄に陥ってはならないのであって、人間は⑷自己のためでなく神の栄光のために、⑸神の召命すなわち職業に従って、神の嘉（よみ）したまう禁欲と勤労に専心すべきである、⑹その労働の結果得られた利得や蓄財は承認される、などである。この教えは中産市民階級の信条となり、資本主義の発達に大きな影響を与えた。ユグノー・プレスビテリアン（長老派）・ピューリタン・ゴイセンなどがこれに属し、のちに多くの分派を生じた。（傍点　堀江）

まず、この「『聖書』の啓示による」などは、自己偽善のトリックによって、とっくの昔に吹き飛んでいる。いったい、金持のらくだに成ってどうやって針の穴を通ろうと言うのか？　そしてこの「禁欲と勤労」を自己偽善によって巧妙に変質させた象徴的人物が、ベンジャミン・フランクリンであり、彼の「時は金なり」である。それらは要するに、「労働の結果得られた利得や蓄財は承認される」として、金儲けのために『聖書』を利用したただけのことである。つまりキリスト教徒である手前、『聖書』に従わねばならず、それゆえ禁欲を持ち出しただけであって、それをパスカル流に言えば「できれば神なしにすませたいと思った。金儲けがすめばもはや彼は神を必要としない」のである。

そのようにして西洋人は、『聖書』を巧みな自己偽善によって、無意識にも自らを騙し、やがて彼らは自らの持つ「有の数字の哲学と宗教と」から成る、傲慢な欲望と戦争との資本主義へと走っていくことになるのである。

それに警鐘を鳴らしたのがニーチェである。彼は「神の死」を宣告し、それによってキリスト教によって覆い隠されていたニヒリズムが姿を現すことになったのである。つまり彼はニヒリズムを孕んだ西洋キリスト教文明は——資本主義（民主主義）、共産主義も——真面（まとも）ではないと言ったのである。

もしニーチェが、ヴェーバーが自らの思想と同質のものを感じていたと知ったら、大笑したたろう。それほどヴェーバーは見当外れの学者だったのである。

なぜならニーチェは、西洋キリスト教文明はまったく狂っている、それはヒトが本然に持つべき群れ本能的価値が破壊されたニヒリズムを孕むと同時に、その傲慢な「我」の宗教は、欲望と戦争とに走ることによって破壊に至るだろう、と言ったのだから。

そしてその予言は当たり、世界は二つの大戦、ホロコースト、原爆投下等によってその残虐性を現すことになった。

しかしそれでも彼らは、己の思考法の愚かさを自省するには至らなかった。なぜなら、彼らが「我考える」以上、その「我」が作り上げた文明を「我考える」ことによって否定することはできぬから。それはいまだ資本主義（西洋民主主義）、中国共産主義（資本主義）が、キリスト教文明が本質に孕む「有の数字の哲学と宗教と」の欲望と戦争とから成っていることが証明している。つまりそれは民主主義云々を言う以前に、ニヒリズムを孕んだ西洋キリスト教文明が真面ではない、ということである。それは彼らの文明が「有の数字の哲学と宗教と」のもつ欲望と戦争との思想を歴史的古層に持っているからである。そして外ならぬその欲望が、彼らを脅かす中国という巨大国家を生み出したのである。それはある意味、身から出た錆である。

それに彼らは、民主主義によって主権が市民にあると思っているが、それは彼らに権力が与えられたわけでないことを理解していない。欲（金）まみれの西洋キリスト教文明の権力は、金と戦争との欲によって生み出されたものであって、言論の自由、市民の選挙権などは、単に権力者のガス抜きでしかない。

ただし権力がどこにあるかは明示できない。なぜなら権力は、西洋市民のニヒリズムを孕んだ傲慢な心の内、つまり「有の数字の哲学と宗教と」から成る欲望と戦争とによるキリスト教民主主義（資本主義）そのものの内にあるからである。言い換えれば、それは彼らの内にニヒリズムとして孕まれている「権力への意志」としての集団ヒステリーが、彼らの歴史的古層に内蔵されている、ということである。

それは大英帝国はともかく、アメリカ帝国はF・ルーズヴェルトの経済政策の失敗を日本に罠をかけ、戦争を仕掛けさせ、その真珠湾攻撃を「騙し討ち」とし、アメリカ人の愛国的集団ヒステリーに火をつけたのだが、実は「騙し討ち」に遭ったのは、外ならぬ、せずともよい戦争をすることになったアメリカ国民自身にあったのであり、その仕上げにトルーマンが広島・長崎の無辜の民に原爆を投下したのである。

これ以上、アメリカの薄気味悪さ（たとえばJFK暗殺、イラク戦争）については述べぬが（拙著『私の愛国心』を参照）、彼らの思考の根底には、イギリス人同様に「人をいかにうまく騙して殺し、金を儲けるか」という推理小説的思考があり、――日本人にはその薄気味悪さがとんと分からない――そしてそれがアメリカ人にあっては極めて暴力的（それは銃社会にも見て取れる）であるかを述べるに止める。

さらにそれは、ワイマール共和国からヒトラーが生まれたのも、ニヒリズムを孕んだ集団ヒステリーであり、また共産主義思想が同様の集団ヒステリーによって生み出したのがソ連であり、その「権力への意志」としての神が外ならぬスターリンという独裁者である。

それは毛沢東、ポル・ポトも同じである。これで西洋キリスト教思想が、いかにニヒリズムを孕んでいるかお分かりいただけただろう。

西洋キリスト教文明はニヒリズムを孕んでいる。それはデカルトの「我」に見られるように、「有の数字」に基づく欲望と戦争とによって、群れ本能的価値を失い、さらにその「我」は自然を破壊し、自然科学を生み出すことによって、欲望と戦争とに走っていくことになった。そのことは科学そのものが、ニヒリズムを孕んでいるということである。

もともと科学は、デカルトの「我」から生まれたものだから、その本質に欲望と戦争とへのニヒリズム（破壊性）を孕んでいる。そしてヒトはその危険にほとんど無関心、と言うよりむしろ礼讃さえする始末である。つまり原子爆弾と原子力発電とが同じものだという自覚がほとんどない。それは東日本大震災によって、福島第一原子力発電所事故が発生したように、人間とは地球という自然の中での、ただの自然人でしかないのである。つまりヒトは自然を破壊したら生きていかれぬ存在だ、ということである。

しかるに西洋文明は愚かにも、その欲望ゆえに科学に未来を見るばかりである。それは原子力に限らず、自然破壊、地球温暖化、非自然物の氾濫等である。この欲望の西洋文明への過剰な礼讃は、人類を近い未来にその没落へと導くだろうが、その時はもう手遅れである。

その点、昔の日本人は賢かった。二宮尊徳は「天地の経文に誠の道は明らかなり」「学者輩の論説は取らざるなり」（『二宮翁夜話』）と言った。ヒトは自然から学び、自然と共生するのが「人の分（ぶん）」だということを知っていた。それにいかなる宗教も、欲が身を滅ぼすということを説いているではないか。

8

日本がガラパゴス的思想進化をしてきたことはかなり特殊であった。つまり西洋の「有の数字の哲学と宗教と」のもつ欲望と戦争とは対照的に、「『0（ゼロ）』の哲学と宗教と」である無（空っぽも含む）を根底として思想進化をしてきたことである。

それは日本が比較的自然豊かな島国で、しかもほぼ単一民族であったがゆえに、戦争も極めて少なく、従って基本的に侵略することもされることもなく、人々は必然的に「考える」必要もなく、ただ助け合い勤勉に働き、寡欲に生きる国民性を作り上げた。従ってこうした日本人にとって、死も戦死によるそれではなく、日常的「あきらめ」として受け入れられることになった。食糧難による餓死も、また人口増による間引きも「あきらめ」として受け入れる極めて忍耐性の強い、寡欲な歴史的古層を形作っていった。これが日本人が本質的にもつ「村」社会性である。が、それと共にそこには「私たち」「村」の法ともいえる道徳が支配し、それを破ると「村」八分にされるという掟も生まれることになった。なぜなら、その「村」道徳が崩れると、「村」の存続が不可能になるからである。

そんな「村」社会的思考を歴史的古層に持つ、空っぽ頭の日本人には無駄なことかもしれぬが、敢えて言っておく。

それは、日本人には絶対にキリスト者・デカルトの、肉体のない「我」は理解できぬ、ということである。

日本人は群れ本能価値を生きてき、従って西洋人のように言語情報の下降・上昇からなる、肉体の無い生の下降・上昇を除去した思想、つまり肉体なしの意識だけから成る「我」をもって「考える」ことは絶対にできぬ、ということである。

デカルトにとって「我考える、故に我あり」を維持するためには、たとえ見せかけの宗教ではあっても、キリスト教は絶対に必要だったのである。なぜなら、キリスト教がなければ「我」は成り立たぬのだから。

それは別の見方をすれば、意識の「我」からしか世界を見ることのできぬ西洋人には、絶対に無もニヒリズムも理解できぬ、ということである。それはすでに述べたハイデガーの思考では、決してニーチェは理解できぬ、ということである。

さらに戦後、武士道（禅）という自前の思想を失った「私たち」日本人の空っぽ頭を、西洋思想で埋（うず）めてみても無意味である。それではいつまで経っても西洋の猿マネである。もっとも日本人は西洋の猿になりたいらしいが。

まず必要なのは、自前の思想を取り戻すことであるが、それもまず不可能だろう。

私には、戦後の日本人は「私たち」「村」社会談合派閥主義という「民主主義ごっこ」をやっているとしか見えない。なぜなら「我」がない以上、国民に主権のあるわけがないからである。日本人には西洋（国際）というと、なんでも立派に見えてしまうらしい。西洋が立派だったのは、暴力組織（恫喝、強盗、破壊）としてのそれだけである。

つまり日本人はいまだに、武士（暴力組織）には弱い空っぽ頭の「村」人なのである。

話を戻す。

過去の日本人は「あきらめ」の情感を持って生きてきたから、厭世思想を根本に持つ仏教の無常観は容易に受け入れられた。それが王朝貴族から庶民にまで及んでいるのは、次の歌からも明らかだろう。

世の中は夢かうつつか
うつつとも夢とも知らず有りて無ければ
読人知らず　古今和歌集

何(なに)せうぞ、くすんで
一期(いちご)は夢よ、ただ狂へ
閑吟集

そしてヒトがもともと持つ、闘争本能的価値がもっとも台頭してきた戦国時代の武将・

織田信長でさえ、愛したのは幸若舞の「敦盛」の次の一節であった。

人間五十年　下天の内にくらぶれば　夢幻の如くなり

日本は島国という特殊な地政学的条件にあったから、武士にしても基本的には寡欲であった。欲を見せたのは、成金の豊臣秀吉くらいで、その後の徳川家康にしても、諸大名が持つだろう欲を殺ぐために巨大幕府化しただけであって、江戸時代は比較的平和な、そして特異な民族性を日本人の歴史的古層に植え付けることになった（はっきり言って、封建主義が前近代〔悪〕であって、民主主義が近代〔善〕だと思っている日本人の頭の悪さには恐れ入る）。

武士の本質は基本、会沢正志斎の『新論』の説くようなものである。

士風を興すことなり、奢靡を禁ずることなり、万民を安んずることなり、賢才を挙ぐることなり。

それは明治新国家を作るにあたって、すでに士風を失っていた諸大名がなんの役にも立たなかったことからも明らかだろう。

このことは人間の本質は所詮、獣(けだもの)だから武士の戦う知恵を持たねば生き延びられぬ、ということである。

たとえば『葉隠』の次のような言葉である。

山本前神右衛門(山本常朝の父)は、家来共に逢ひて、「博奕(ばくち)をうて、虚言(そらごと)をいへ、一時(いっとき)の内に七度虚言いはねば男は立ぬぞ」とのみ申され候。昔は只武篇の心懸(こころがけ)のみにて候、正直(マトウ)者は大わざならぬと存じ、右の通に申され候。

「博奕をうて」とは乾坤一擲の戦のとき、計算された博奕をうつことであり、また「一時の内に七度虚言いはねば男は立ぬぞ」とは瞬時にそれだけの数の知略が浮かばねば戦には勝てぬぞ、ということである。つまり武士はそうでなければ、生き残れなかった、ということである。

ところが、戦後空っぽ頭の日本人は西洋思想にすっかり賺(す)かされ(洗脳され)、自らの

「肉体のなかに住む『無』」で「考える」ことができなくなってしまった。従ってこうした言葉が何を言っているのかも分からない。それは文字通りの思想退化である。

だからたとえば、三島が『葉隠入門』で、武士道にニヒリズムを見ていたことの意味も分からない。むろんキリスト教のない日本にその種のニヒリズムはない。従って彼が見ていたのは武士道の無としてのニヒリズムである。

しかし西洋文明の流入によって、キリスト教的ニヒリズムが入ってくることになる。たとえば科学（地下鉄サリン事件）がそうであり、また資本主義もその本質は、ヒトを人間的価値として見るのではなく、労働価値としての、「有の数字」でしか計らぬニヒリズムを孕んだ、欲望から成る経済である。それが欲望の資本主義と言われるものである（だから詐欺等の欲望の犯罪が多発するのである）。

それに比べて江戸時代の日本の経済は、それに真っ向対立する石田梅岩の石門心学である。和辻哲郎は『日本倫理思想史』で彼のことを次のように述べている。

「倹約をいふは他の儀にあらず、生まれながらの正直にかへし度為（たきため）なり」（斉家論）、私欲を去った正直が町人の道の根本であることはいうまでもなく、士の道にとっても、政治に私欲なく「清潔にして正直」であることが、すべての根本であろう。

それを思うと三島が檄文で「経済的繁栄にうつつを抜かし、……国民の精神を失ひ」と言ったのも分かる。

ところで三島は『葉隠』のニヒリズムとして次の二つを挙げている。

> 幻はマボロシと訓むなり。天竺にては術師の事を幻出師と云ふ。世界は皆からくり人形なり。幻の字を用ひるなり。

> 道すがら考ふれば、何とよくからくった人形ではなきや。糸をつけてもなきに、歩いたり、飛んだり、はねたり、言語迄も云ふは上手の細工なり。来年の盆には客にぞなるべき。さてもあだな世界かな。忘れてばかり居るぞと。

それと関係づける部分を、既述のニーチェの文章から引用する。

「本来のおのれ」は君の「我」と、その得意げな跳躍をあざわらう。「思想のこういう跳躍と飛翔、それはわたしにとって何なのだ」と、「本来のおのれ」はみずからに言う。「それはわたしの目的地に至るべき回り道だ。わたしは『我』の手引き紐であり、『我』のもっている諸概念の吹込み人である」と。

前半の「(肉体のなかに住む)『本来のおのれ』(ニヒリズム)は君の『我』(意識)と、その得意げな跳躍をあざわらう。『思想のこういう跳躍と飛翔、それはわたしにとって何なのだ』と『本来のおのれ』はみずからに言う」とは、要するにヨーロッパ・キリスト教文明が生み出した「我」(意識)の思想は、「本来のおのれ」(ニヒリズム)に「からくられた」(支配された)存在でしかない、ということである。

これが『葉隠』(武士)になれば「肉体のなかに住む『無』」によって「糸をつけてもなきに、歩いたり、飛んだり、はねたり、言語迄も云」う「からくり人形」になるということである。

そして後半の「『それはわたしの目的地に至るべき回り道だ。わたしは「我」の手引き紐であり、「我」のもっている諸概念の吹込み人である』」の意味していることは、ここで言う「わたし」である「ニヒリズム」(「肉体のなかに住む『本来のおのれ』」)が、意識という「我」を「目的地」に至らせるための「手引き紐」として、「諸概念の吹込み人」として、「我」をからくっている、ということ、つまり「ニヒリズム」という「本来のおのれ」が、「我」「手引き紐」と「諸概念の吹込み人」とによって「我」の思想(意識)を「からくっている」(支配している)、ということである。

そうであると、この「ニヒリズム」(本来のおのれ)の性質はどのようにして作られるのか。つまり人々の思考が異なるのはなぜか、という問題が生じる。それはそれぞれ個々人の言語情報が歴史的古層および古層に、どのように下降・蓄積されたかによって異なってくる、ということである。単純なことだが、「考える」と分からなくなってくるような性質のものである。

これがニーチェと三島=『葉隠』との、ニヒリズムと無との相似性であるが、武士の世界は、群れ本能的価値を破壊したキリスト教疑似群れ集団価値としての、「我考える」の思想を生み出せるほどの戦争社会ではなかったから、「考える」ことはできても市民意識から成る「我考える」思想に至ることはなかった、つまり武士を除けば「私たちは考えない」止まりだった、ということである。それを戦後の日本人は「私たちは考えない、故に私は正しい」としてしまったから、煮ても焼いても食えぬ代物になってしまったのである。

武士は禅者と同様に（やり方は異なるにせよ）進化の逆行によって「無」に至り、その「無私」（この「私」はデカルトの「我」ではない）で「考える」のであるから思想化はできない。ただ武士道と禅とが大きく異なるのは、武士の日常は生ではなく死だということである。つまり信長が「生」を夢幻（ゆめまぼろし）と見ていたように、それは西洋人の「有の数字の哲学」ではなく、「『0（ゼロ）』（無）の哲学」だということである。

三島は自らの武士道を思想化することはできなかった。またニーチェも自らの思想を理論化するに至らなかったが、自らのニヒリズムが群れ本能価値を破壊していることで、それが生命進化の本道を外れ、サルにまで進化を逆行させていることを、どこか直観していたはずである。それが『ツァラトゥストラ』という神話を書かせた動機であり、サルからヒトへ進化するその過程を明らかにすることになったのである。

そうであれば私は、キリスト教文明のもつニヒリズムと「無」との双方を知るに至ったからこそ、両者を関連づけてその構造をある程度明らかにすることができたのである。

もし三島に過ちがあるとすれば、「肉体のもつ大いなる理性」は『我』を唱えはしない。

『我』を行うのである」の、その「『我』を唱え」ることしかしない日本人（たとえば自前の思想のない鸚鵡化した東大全共闘との討論）とのお喋りは、ペットとのそれでしかないことが、見抜けなかったことである。彼らは決して「『我』を行う」ような人種ではない。

そして幕末の志士が歴史マンガ化されたように、三島も今やマンガ化されていることでは変わりない。

9

戦後の日本人には完全に士風というものが分からない。

だいぶ以前、ある小学校でいじめによる生徒の自殺があった。それを取材していたテレビ・レポーターに対して、学校長が次のように答えたことがあった。

全生徒に命の貴さを説きました

正直、この国はもうダメだと思った。誇りや名誉を持つ者なら、命を賭けて戦い、時には相手を殺して後に自決する、そういう覚悟を持たせることが人間教育である。三島も檄文で「生命以上の価値」ということを言っている。

この国の戦後教育は完全に崩壊している。

たとえば大江健三郎氏の「子供は幼いなりに固有の誇りを持っている……人を殺さないということ自体に意味がある」（一九九七年十一月三十日『朝日新聞』）も同類である。

それらはペットの発想である。だが人間は言葉を喋る獣（けだもの）である。それだけに質（たち）が悪い。だから人類史は戦争史なのである。そうであれば、人が人であることの価値は、自己の生命以上に高い価値のために死ぬことだけが、人間としての唯一の価値なのだ、ということを教えるべきである。新渡戸が『武士道』のなかで、ラヴレー氏が「どうして道徳教育を授けるのですか」とはその答である。

人間という獣は、教育を通して初めて人間としての誇りや名誉心を持てるのである。しかるに戦後教育は、金儲けのためだけの西洋猿マネ暗記教育である。しかもそこにニヒリズムのあることが分からない。

たとえば、三島はなにも好きこのんで三島事件を起こしたわけではない。それは幕末の志士が同様に無闇に暗殺し合ったわけではないのと同じである。黒船という外敵（獣）に対峙できるだけの国にするために殺し合ったのであって、それは『新論』の言う「士風」である「万民を安んずることとなり」のためだ、と言うことが戦後の「村」人には理解できない。

正直、幕末の志士は自分の命のために、万民を放っておき、「村」人が夷狄に煮て食われようがどうでもいい、という立場も取れたのである。彼らはペットを守るために自らの命を賭けることまでし、しかもそのことを理解しない者のために、殺し合うというそんな馬鹿なことはしなくてもよかったのである。しかしそこが野性をもつ志士の異なる所であり、より高貴な価値のために自らの命を捨てることのできるのが、人間の唯一の誇り、名誉だということを、無自覚にも知っていたのである。そこが「逃げ走る」ことしか知らぬ「客分」と異なる所である。

その意味では、福沢の『学問のすゝめ』はまったく誤読されてきた。彼はそこで「一身独立して一国独立する事」のためには、「実語教に、人学ばざれば智なし、智なき者は愚人なりとあり、されば賢人と愚人との別は、学ぶと学ばざるとに由（よ）って出来（いでく）るものなり」と言ったが、戦後の日本人は「学ん」でも「一身独立」することも「一国独立する事」もできない。士風がないからである。福沢にとって士風は当たり前のことだったから、言わなかったのかもしれぬが、学問は士風をもつ者が学んで、はじめて意味のあるものだ、ということを言わなかったのは彼の落度である。

彼は自己の士風を『瘠我慢の説』で次のように言う。

然るを勝（海舟）氏は予め必敗を期し、その未だ実際に敗れざるに先んじて自から自家の大権を投棄し、ひたすら平和を買わんと勉めたる者なれば、兵乱のために人を殺し財を散ずるの禍を軽くしたりといえども、立国の要素たる瘠我慢の士風を傷うたるの責は免かるべからず。殺人散財は一時の禍にして、士風の維持は万世の要なり。

福沢の思想の根底にあるものが、このようなものだということを、戦後の日本人はまったく理解していない。その最たる人物が、士風なしの「村」人頭で彼を論じた丸山である。福沢は「一国独立」のためには「士風」は要であり、その前提の下に『学問のすゝめ』を書いたのであるが、士風を持たぬ戦後の日本人にはそれが理解できない。

10

話はちょっと変わるが、福沢のことに関して戦後の日本人がちっとも分かっていないことがある。それは『福翁自伝』の「幼少の時」の項の「乞食の虱をとる」の目での次の記述である。

乞食の虱をとる

ここで誠に汚い奇談があるから話しましょう。中津に一人の女乞食があって、馬鹿のような狂者のような至極の難渋者で、自分の名か、人の付けたのか、チエ、チエといって、毎日市中を貰ってまわる。ところが此奴が汚いとも臭いとも言いようのない女で、着物はボロボロ、髪はボウボウ、その髪に虱がウヤウヤしているのが見える。スルト母が毎度のことで天気の好い日などには「おチエ此方に這入って来い」と言って、表の庭に呼び込んで土間の草の上に座らせて、自分は襷掛けに身構えをして乞食の虱狩を始めて、私は加勢に呼び出される。拾うように取れる虱を取っては庭石の上に置き、マサカ爪で潰すことは出来ぬから、私を側に置いて「この石の上のを石で潰せ」と申して、私は小さい手ごろな石をもって構えている。母が一疋取って台石の上に置くと、私はコツリと打潰すという役目で、五十も百も、まずその時に取れるだけ取ってしまい、ソレカラ母も私も着物を払うて糠で手を洗うて、乞食には虱を取らせてくれた褒美に飯を遣るという極りで、これは母の楽しみでしたろうが、私は汚くてくく堪らぬ。今思い出しても胸が悪いようです。

これは福沢にとっては「汚くてくく堪らぬ。今思い出しても胸が悪いようです」でしかないことであったが、彼の母親にとってはまったく異なることであった。西洋では、聖人だってこんなことはしないだろう。

しかも彼の母親は下級とはいえ武家の内儀であるのに対し、相手は虱だらけの乞食女である。

この話から痛感されるのは、資本主義がいかに「有の数字」（損得勘定）からものを「考える」欲望の経済か、ということである。言ってみれば、自らが金のために奴隷となり、いかに稼ぐかによって幸福の尺度が決められる、文字通り人材の世界である。と言うより西洋人の歴史的古層はキリスト教・ニヒリズム（群れ本能的価値が破壊されている）だから、共産主義はむろんのこと、民主主義にしても上手く行くはずがない。

その点、福沢の母親は無智だったかもしれない。なぜなら、智とは得するために、言い換えれば、「有の数字」の方向に「考える」ことだからである。

ただ福沢が「人学ばざれば智なし、智なき者は愚人なり」と言ったのは、あくまで「一国独立」のために「学べ」と言ったのであって「私欲」のためではない。私欲のために慶應義塾など作れるか！（ちなみに、彼の思想には借金という概念が微塵もない）

そうした視点から見れば、彼の母親は世界を「『0』の数字」で計るという意味では無智であった。しかしそれは彼女が、ニーチェの言う「肉体のもつ大いなる理性（無）」である「知られない賢者」を持つ者だった、ということもできる。だから彼女の頭のなかには損得勘定というものがなかった。彼女にとって相手がどんなに卑しい身分でも、人は人であり、その人が不幸であれば幸福にしてやることが、彼女の喜びだった。それはほとんど『聖書』のなかの人のように思える。そんな母親を彼が特に評価しなかったのは、当時の日本人としては普通の女性だったからだろう。後年、福沢が自然に「天は人の上に人を造らず人の下に人を造らず」と言えたのは、そうした母親の存在があったからだと思う。

そうした他人（ひと）を幸福にしてやることを半ば義務のようにして生きてきたのが、過去の日本人である。

ラフカディオ・ハーンは「日本人の微笑」のなかで次のように書いている。

いちばん気持ちのよい顔は、にこにこした顔である。それで両親や、親類や、先生や、友人や、好意をよせる人たちに、いつも出来るだけ気持ちのよい顔を見せるのが生活の掟（おきて）なのである。なおそのうえ、たえず世間の人々へ幸福そうな様子を見せ、ほかの人たちに出来るだけ楽しそうな印象をあたえるのが生活の掟である。たとい胸が張り裂けそうでも、勇敢にほほえむのが社会的義務である。それに反して、しかつめらしい顔をしたり、不仕合わせな様子をするのは無礼である。なぜなら、それは愛する人たちに心配や苦痛をあたえるかも知れないからだ。それはまた愚かなことでもある。というのは、こちらに好意をもっていない人に無情な好奇心をおこさせるかも知れないからだ。子供のじぶんから義務として養成されているので、微笑はやがて本能的になる。ごく貧しい農夫の心のなかにも、個人的悲しみや苦しみや怒りをおもてに出して見せるのはめったに役にたつことはなく、いつも相手に思いやりのない仕業になる、という確信が潜んでいる。

（次の部分は長くなるので前半は要約するが、ハーンの友人が彼に語った話である）

その友人が馬に乗って坂を下って来、車夫の車と衝突したときのことである。双方にケガはなかったが、車の梶棒が馬の肩にささり血が出ていたのである。「僕はすっかり怒りだして鞭（むち）の太いほうの端で、車夫の頭を殴りつけました。すると、その男は僕の顔をまともに見てにっこり笑い、それからお辞儀をしました。その微笑がいまでも目にうかびます。僕は打ちのめされたような気がしました。その微笑のためにすっかり当惑してしまい、腹立たしさも何もたちどころに消えてしまいました。まったく、それはていねいな微笑でしたよ、君。だが、どういう意味だったんでしょう？　いったい全体なんであの男が微笑したのか、僕にはまるで訳がわからんですよ」

その当時には、わたしにも判らなかった。しかし、その後これよりもずっとふしぎな微笑の意味が判ってきたのである。しかし、そうした場合でも、ほかのときに微笑するのと同じ理由で微笑するのである。その微笑には軽蔑もなければ偽善もないのだ。

なぜ動物のなかで人間だけが笑うのか、そのメカニズムを知る者はいない。このお笑い大国にいる日本人でさえ考えてみようともしない。

ヒトがなぜ笑うのかについては、拙著『ニーチェを超えて』等で述べたのでここでは詳述はしないが、まずヒトが他の生命と異なり、虚構（嘘）である価値（言語）の世界を生き、その拡大のための生の上昇による快を得る存在であるが故に笑うのだ、ということである。

ハーンの言う日本人の微笑は、日本（江戸時代）は戦争もなく、あるのはただ「村」（仲間）社会における他者への思いやりであるところの、ハーンの言う、愛する人たちに心配や苦痛を与えない、ということを子供の時から義務のように養育されてきた社会が、それを生み出したのはむろんである。が同時に、彼らには日常的に死・苦という苦しみもあった。そこでそこから半ば本能的に逃れるために、自己偽善による微笑という生の上昇の快によって、その苦しみを和らげるという身体的本能を身につけたのである。だから、車夫は鞭に打たれるという苦痛を微笑に替えたのである。これは福沢の母親の行為にしても同じ範疇のものである。

ハーンがそうした社会に惹かれたように、ポール・ゴーギャンがタヒチ島に魅せられたのも同じ理由だろう。文明人だと思っていた自分たちが、どれほど野蛮であるかを悟らされた瞬間である。

当時、日本を訪れた西洋人が一様に魅せられた理由もそこにある。彼らから見れば極めて寡欲な人々だったのである。それをチェンバレン（『逝きし世の面影』で）は次のように言う。

古い日本は妖精の棲む小さくてかわいらしい不思議の国であった

しかし日本人のこの微笑は次第に失われていく。それは日本が戦時体制に入って行くからである。もはや戦争という非日常的死・苦を前にして、それまでのような自己偽善による微笑によっては、それらを騙すことはできない。日本人もしかつめらしい顔になり、その無智な、妖精のような頭で哲学的思考をすることを、余儀なくされて行くのである。

そんな状況下に現れたのが西田幾多郎である。今日ではほぼ理解不能となった彼の哲学も、当時の学徒にはその晦渋さにも拘らず、なんとなく共感できるものがあったのだろう。たとえば次のような一文である。

> 自己の永遠の死を自覚すると云うのは、我々の自己が絶対無限なるもの、即ち絶対者に対する時であろう。絶対否定に面することによって、我々は自己の永遠の死を知るのである。（「場所的論理と宗教的世界観」）

これは完全に「『0』（無）の数字の哲学」である。欲のない無限の命の世界である。それを悟りと言えばそうであるが、人間という死と対面して生きなければならぬ存在の、一つの安心静寂の境地であるのも事実である。その境地を無意識にも生きていたのが、石田、二宮、福沢の母親らである。

しかしそれも敗戦によって一転してしまう。戦勝国によって持ち込まれた「有の数字の哲学」の持つ欲望という名の幸福観である。そしてそれと共に「生は得、死は損」の思想によって、それまで日本人の持っていた無常観は一挙にして吹き飛ばされることになる。
それによって妖精の空っぽ頭は、すぐにも無智な欲に走ることになってしまう。つまりこの国から「武士道」という「宗教教育」は失われ、ただ西洋の暗記鸚鵡へと化して行くのである。

その結果、近代民主主義という資本主義の富に支えられた極めてあくどい歴史をもった政治思想の、その本質を考えることのできぬ鸚鵡は、ただそれを日本人が歴史的古層にもつ「村」社会道徳価値観で、それを「村」社会談合派閥主義として受け入れることになったのである。つまり戦後民主主義とは、ただの「民民（ミンミン）ゼミ」のそれでしかないのである。妖精の頭になにかそれ以上を望むのは無理である。

ただ言えることは「有の数字の哲学と宗教と」に基づく、欲望と戦争とから成る西洋キリスト教文明とは、それ自身に歯止めのかけられぬ暴力組織（恫喝、強盗、破壊）思想を孕んでいる、という事実である。それは科学の進歩という幻想に酔っていること一つからも明らかだろう。そしてそれはそれ自身の持つニヒリズムによって、自然は破壊され（戦争もその一つ）、気づいた時にはもはや自然人である人間の住める惑星ではなくなっていることだろう。

11

日本人は西洋思想——哲学、経済学、政治学等——を愚かしくも有り難がるが、それらは砂漠から生まれた「有の数字から成る哲学と宗教と」に基づく、欲望と戦争との思想である。従ってそれらの思想が立派そうに見えるのは、それらが単に暴力組織思想としてそうなのであって、またそれらが難解そうに思えるのは、暴力思想として「考える」ことが、いかに難しいかを証明しているだけのことである。

西洋文明の宗教的根拠は『聖書』に基づき、彼らはそれを利用して、砂漠化した土地での戦争社会のなかで生きざるを得なかったから、それは生き延びるための欲望と戦争との思想を歴史的古層に持たざるを得ぬことになった。そのため彼らは自らの群れ本能的価値を破壊し、そこをキリスト教群れ集団価値で埋めるという思想進化をすることになったのである。

その事実は、彼らの生き方が『聖書』の思想にまったく反するものに成らざるを得なかったから、彼らはそれを弥縫する策として、自己偽善化（自らを騙し、他者をも騙す）は、どうしても必要不可欠なものとなった。

それはすでにデカルトのところで述べたように、「神の存在証明」などと手の込んだ自己偽善を用いたことからも明らかだろう。つまり彼は「我考える、故に我正しい」と言えれば、言いたかったのだが、彼の「我」は群れ本能的価値を欠いた、ニヒリストの「我」であるから、その穴埋めにどうしてもキリスト教が必要だったのである。これは事実上、キリスト教の裏付けによって「我正しい」としたも同然である。そこにパスカルの怒りがあった。

これはカルヴァン主義も同じである、彼らは孤独なニヒリストとしての「我」を生きているから――つまり群れ本能的価値を失っているから――労働は苦痛以外のなにものでもない、しかし金（欲望）はほしい。そこで「予定説」などという自己偽善によって、「禁欲と勤労に専心すべき」だ、などという嘘を言い出したのである。要するに、「労働の結果得られた利得や蓄財は承認される」、つまり「金が欲しい」と言えばよいだけのことなのだが、キリスト教徒である手前それが言えなかったのは、デカルトの場合と同じである。

その後、一層、西洋キリスト教文明は、「有の数字」に基づく欲望と戦争との本質を見せはじめた。それはフランクリンの「時は金なり」によって露骨に示されている。

そのことを、彼らは自己偽善によって誤魔化してきたが、彼らの「我」はもはや事実上、神となり、それを偽るために自己偽善は一層、巧妙さを増し行き、論理は難解さを帯びていった。つまりもはや「時は金なり」ではなく、「神は金なり」なのである。


が、話をそこに進める前に、デカルトの哲学のもつ「有の数字」への欲望と戦争との意志が、自然科学を発展させることになったことへの重要さについて述べておく。

なぜそうなるのかの理由については、彼の哲学がニヒリズムを孕んだ、群れ本能的価値を欠いた自然人のものではないが故に、自然を自然として見ずに、数字として捉えることを可能にしたのである。

それは彼が偉大であったというよりも、この自然が数字で計れるという偶然が、彼を大きな存在にしたたに過ぎない。そして不幸にして、ヒトはそこに欲望という価値を見出し、ヒトはそれを追うことに必死となる余り、「生」そのものの持つ価値を見失うと共に、そこに生まれたニヒリズムを孕む自然科学による自然破壊（それは資本主義に繋がる）によって、人類は没落の坂をころがり落ちて行くことになるのである。

科学はたしかにヒトに恵みも与えたが、それ以上の災厄を齎した。それはヒトを含めてすべてを数字で計れるという思想を、キリスト教という神の保証つきで世界に広めてしまったのである。それは戦争を過酷化し、かつ拡大化し（毒ガス兵器、原子爆弾等）、自然を破壊し（原子力発電所事故、地球温暖化等）、さらに学問をも数値化する、つまり社会科学という信仰に陥らせ、中でも経済学においては、彼らがその歴史的古層に持っている主人と奴隷（モノ）との二極化という、人間性を欠いた資本主義経済を生み出し、人間を完全に数値という奴隷下に置き、その結果として、社会をまったくゆとりのない競争社会にしてしまった。

そうなれば、資本主義は学問から人間が人間らしく生きるという価値を奪い、単なる数値的に優秀な暗記鸚鵡を作ればよいだけの場となり、また企業もそれに応じるようにブラック化して行くことになる。それは欲望の資本主義化するということであり、ヒトはそこでモノ（奴隷）化され、切り売りされる存在となり、そこで得た金で欲望を消費することを幸福だ、としか感ぜられなくなる。さらにその欲望の消費のためにモノ（奴隷）として働くことになるのと同時に、その世界での主人である資本家の数値に支配されることによって、格差社会は広がって行くことになる。それはたとえ民主主義という、一見、平等思想に見えるものであっても――近代民主主義は資本主義に支えられているのであって――それは言葉上のまやかしでしかない。つまり、この欲望の資本主義を生きる経済人は、束の間の欲望の消費のために奴隷労働をすることになり、さらにこの数値化された資本主義は、ヒトの心を金とその消費との欲望（数値）人間化させ、そのヒトをして、ただ無意味なものを買いたくなるという衝動を心に産み付けることになり、またそれによって生み出される金銭の欠乏のために奴隷労働をするという、欲望経済人にしてしまったのである。その結果、ヒトはヒトが本来もっているはずの「生」の価値を忘れてしまい、ただ欲望（数値）のためにのみ生きることになったのである。西洋人が労働を嫌う理由はここにある。

しかし欲望は価値であるから、それが満たされてしまえばそれは消え、新たな欲望を産み出さねば欲望人間は生きていかれない。それは賭博、麻薬常習者となんら変わらない。そしてその欲望を満たすことのできなかった者は、犯罪によってそれを満たすしかない現実を生み出す。

資本主義に――これは同時に民主主義にも――未来はない。なぜなら彼らは「有の数字」の欲望と戦争とに走るだけで、自らの持つ徳性を失い、経済的欲望人間として廃人化していくしかないからである。それはいくら金欲が満たされようとも、その内面は満たされぬ空虚な、ニヒリズムを孕んだ欲望人間と化し、それを満たすためにはもはや覚醒剤等の麻薬に走るしかないことになる。これが資本主義の現実である。

西洋文明のそうした価値観ほど、世界に災厄を齎したものはない。にも拘らず、そんな最低な文明の学問を有り難がる戦後の日本人とは、愚か者と言うしかない。つまり西洋文明は「有の数字」から成る欲望と戦争とによって、自らの価値を満たそうとする歴史的古層を持っているが故に、彼らの思考は無意識にもせよ、そちらの方向にむかうことになる。

それは大英帝国にしろ、ナチスにしろ、アメリカ帝国にしろ、彼らの信仰の源であるはずの『聖書』は、彼らの欲望と戦争とのための利用価値でしかなくなり、ただ彼らはキリスト教徒である手前、それらの目的のために手の込んだ自己偽善芝居を行ったのが、西洋思想の本質である。

たとえば今日、民主主義は美しい自己偽善思想にまで祭り上げられているが、要は戦争に勝つ（欲望を満たす）ための徴兵制の代替思想でしかなかったのである。それは植民地主義の戦争に典型的に見られるものである。

だから民主主義が平等思想として、機能するはずはない。それは単に資本主義にからくられた政治思想でしかないのである。別言すれば「勝てば官軍」だけの思想なのである。

西洋キリスト教（『聖書』ではない）思想のなかで、まっとうな人間性に溢れている思想など皆無に近い。なぜなら、彼らはキリスト教・ニヒリズムのなかを生きているから理屈上では美しい社会を、たとえば共産主義思想などを描くが、彼らのニヒリズムを孕んだ非人間性がそれを可能にしない。だからマルクス主義などは難解である反面、極めて幼稚なのである。

12

そうした側面は、ハイデガーの『存在と時間』のつまらなさにも見て取れる。

彼の『存在と時間』は二十世紀最高の哲学書というので私も齧ってみた。齧るとは、直にそれに当たるのではなく、彼の思想がどのような傾向のものであるのかを、まず解説書に当たるということである（日本には西洋の流行をマネするには事欠かぬから、その種の書物は汗牛充棟あふれている）。そしてその解説書を読んだだけでも、彼の自己偽善思想は例のごとく、自己を騙し他者を騙そうとすることを意図しているから、難解な表現には事欠かない。

しかし言っていることは極めて単純である。「存在とは何か」「なぜすべてのものは存るのか」である。正直、私はなぜこんな詰まらぬことが大問題になるのか理解できない。なぜなら「存在」とは、私が「有る」から「存在」があるのであり、私が「無」ければ「存在」はしないという関係にあるのだから、まず「我あり」の問題を解くことの方が、先だと思うからである。だから私は「存在」の問題は解けぬと考えるが、この際、今一度この問題に触れてみる。

私の本書の初めで「有る」とはなにかについて言及したが、忘れてしまった読者のためにそのことを復習的に述べておく。

宇宙は四次元の無であり、その惑星の一つの地球に生命というものが生まれた。そしてこの生命は、あたかも生が上昇するかのように、食うか食われるかの中で進化してきた。

その進化のメカニズムは情報の下降を本能（あるいはそれに類するもの）に下降・蓄積し、その蓄積された情報を基に、自然環境に適応できるように身体（生命体）を変異させることで生き延びてきた。

　ところがその進化を有利にするために、言語（価値）を生み出すまでに進化した人類というものが登場してくる。

　まず言語（価値）とはなにかと言えば、それまでの無（四次元）の情報の下降・上昇を生きてきた生命（サル）が、それを言語情報の下降・上昇としたのがヒトであり、その交錯するところに「意識の流れ」という「有る」（時間と空間とから成る三次元世界）を生み出すに至った（これが「存在と時間」の原型である）。

　しかし宇宙は本来、無（四次元）であるから、三次元という「有る」は、言語という価値からなる無の上に成り立っている虚構（嘘）の世界であり、その虚構の意識のなかで「考える」ことによって、ヒトはその言動による価値の拡大に基づいて、生命進化を有利にすることになった。つまり生き延びる確率を高くしたのである。


　が、これだけで済めばよかったのだが、古代ヨーロッパは本能的価値（特に闘争本能的価値）に基づく戦争社会であったが故に、死が多量にあった。しかし本能的価値は同時に群れ本能的価値をも含んでいるから――生命は本来、群れで行動する生命体であるから

――その限りにおいては、単独者＝「我」（主観）で「考える」ことはできない。そこで彼らは死に強いキリスト教を利用して、群れ本能的価値を破壊し、それに代えてキリスト教群れ集団価値をもって置き替え、キリスト教を信じる者は「我考える」ことを可能にしたのである。つまりこのときキリスト教徒は、群れ本能的価値を欠いた片端な生命体、すなわちニヒリズムを孕んだヒトになったのである。それは言い換えれば、彼らはユダヤ・キリスト教を信じねば生きられぬ存在となったのである。彼らが無神論を恐れるのはこのためである。

このことは別言すれば、彼らの「我」は意識（三次元身体という虚構）であり、そこからしか世界を見ることができなくなってしまったということ、つまり自分たちが無（四次元）の上に乗っている意識上の三次元身体という虚構（嘘）から世界を眺めていることが、まったく自覚できない。そのことに僅かに気づいたのが（ニーチェは別格）フロイトであり、彼は意識の下に無意識の世界の存在を主張したのである。

つまりわれわれが意識上に「有る」を感じて生きているのは、進化の結果であり、その進化を逆行させることによって価値を脱落させ、サルないしは原初のヒトにまで戻ってしまったのがニヒリズム（虚無）、無である。

まずニヒリズムから言えば、進化の逆行によって価値を脱落させてしまえば、キリスト教という価値も脱落し、それまでキリスト教によって穴埋めされてきた群れ本能的価値を欠いた、つまり正常な本能的価値を持たぬ――それ故サルの本能にまで進化を逆行させてしまうことになるのだが――状態に陥ってしまったのが、ニーチェのニヒリズムである。それに対して、無は正常な本能的価値にまで進化を逆行させただけであり、それはただの生の下降・上昇の無であるから、意識というものがない、つまりそれが禅でいう禅定の無である。その結果、無を言語で表すことは不可能となる。

ここまで復習したところからも、意識（主観）の世界しか生きられぬハイデガーが、なぜ、「存在とは何か」「なぜすべてのものは在るのか」という理由も分かろう。

西洋哲学の主流に「存在論」というものがあるが、それはデカルトの「我考える」が、そも西洋が戦争社会であったから、群れ本能的価値を欠いた片端な（ニヒリズムの）思考に成らざるを得なかったところにある。なぜ片端かと言えば、生命は（ヒトも生命である）群れで生きる存在である以上、単独者＝「我」（主観）で「考える」ことはできぬからである。

そのことは、ヒトは神話の最初期において「有る」を感じることはできても、それを「我考える、故に我あり」とすることは、できぬということである。なぜなら、「我考える、故に我あり」とは、肉体を欠いたニヒリズムを孕んだ虚構の思考だからである。言い換えれば、その「我」とは、神の保証の下に肉体のないニヒリズムに基づく主観であって、そこから外に広がる世界を客観とした、ある意味独善的世界観だからである。デカルトが「神の存在証明」などという、インチキを行った理由もそこにある。つまり彼らは世界を主観（意識）からしか見れぬから――それを見事に証明しているのがフロイトの無意識である――従ってその外に広がる世界は客観となり、「存在論」となるのである。これは「認識論」の根拠も同断である。

西洋哲学の底の浅さは、そこに一切の肉体への考察のないことであり、デカルトのそれはまさにそれである。彼らの哲学になにか深さがあると勘違いするのは、彼らのニヒリズムを孕む、その片端の「我」の暴力組織思考が、どこまでもその「我考える」を追いかけて行くから複雑、難解になるだけのことである。

以上から考えても、主観と客観とが一致するかどうかなど馬鹿げた話である。いくら戦争社会とはいえ、自分で勝手に主観を作り出しておいて、それが客観と一致するかどうかなど戯言（たわごと）である。だから私はハイデガーの「存在とは何か」「なぜすべてのものは在るのか」など、つまらぬと言ったのである。しかし彼には意識という「我」の視点（主観）からしか世界を見ることができぬから――「我」から外れたら（無神論者になると）ニーチェのように狂うしかないが故に――彼にはこの問題を解くことはできない。ちなみに私が狂わずに済んだのは、日本には「無」の思想があったからである。

　これとは逆にニーチェや私は、「私とは何か」「私が在るとはどういうことか」というところから問題を解こうとしたのである。

　と、こう書いている内に、私は事の本質を直観するに至った。つまり私は事の九九％に達していながら、最後の一％が分からなかったが故に、全体が理解できなかったということに。

　すでに述べたように、西洋人の考え方がニヒリズムを孕んだ「我考える」であるのに対し、日本の武士（禅者）が、どのようにして「無私」で「考える」ことができたのか、そのメカニズムを悟ることができたのである。

　それはすでに述べた「ハイデガーは『無とは何であるか』という問いそのものがおかし

い、という。無を問うのに、あるという仕方で提出するのは矛盾ではないか、というのである」の問いにすべての答があることに、私はようやく気づいたのである。

武士（禅者）が進化の逆行によって、「肉体のなかに住む『無』」、あるいは「肉体のもつ大いなる理性（無）」を知るとは、意識のない禅定の無であってそこには本能的価値以外の、いわゆる欲望はない。それに対して意識とは、言語情報の下降・上昇よりなる価値の拡大という欲望である。

それは西洋キリスト教文明が、「我考える」の意識に基づく欲望と戦争とのそれであるが故に、主観（意識）からしか「考える」ことができぬのに対し、日本はガラパゴス的島国であった上、江戸時代は鎖国という欲望と戦争とを封じた――それは同時に土地・資本の制限された――世界を作ることになった。つまり、そこでは欲望に基づく主観（意識）で「考える」ことはできず、意識（欲望）を捨てることによってしか生き延びられぬが故に、無（無欲）という「無私」の価値（「『0』の哲学」）で、「無私」の幸福を得るための知恵を身に付けたのである。つまりその限りにおいては「考える」という欲望と戦争とへの指向はなく、その制限された「0」の世界で幸福に生きるには「人の和」という「徳」の世界で幸福を求めて生きるしかない。それがこれまで述べてきた、価値の拡大のために

「考える」ということをしない――「『0（ゼロ）』の哲学」を生きた――福沢の母親、石田、二宮、ハーンの描いた日本人の微笑の示すところである。

だが、戦う武士は彼らとは異なり、国家（主君）に対する価値（欲）を持っていた。つまり彼らが「考える」ことができたのは、「肉体のなかに住む『無』」および「肉体のもつ大いなる理性（無）」を生きながら、同時に国家に対する価値（国家を在らしめようとする欲）、言い換えれば、無から在るへの欲（意識）の価値の差が、「考える」ことを可能にしたのである。つまり国家への欲（意識）を無で計るから、そこに価値の落差としての「考える」尺度が生まれたのである。それは武士が無から意識（在る＝欲）を見ることができたから、「考える」ことができた、ということである。

それはすでに述べた『葉隠』の「山本前神右衛門は、家来共に逢いて、『博奕（ばくち）をうて、虚言（そらごと）をいへ、一時（いっとき）の内に七度虚言いはねば男は立ぬぞ』とのみ申され候」も、国家を在らしめようとしたら、無に基づくそうした「考え」をしなければ、武士としては役に立たぬと言うことである。ただそれがどこか禅問答のようであるのは、当時の武士にとって特段それ以上の論理性の必要がなかったからである。

それが福沢の時代になると、西洋文明という意識の文明の侵略に対し、彼はその意識を学びそれを彼の無という士風で計り、論理的に思考した結果が『文明論之概略』等である。だが戦後、士風――無と意識との間に価値の落差を計れる頭――のない日本人に、彼の思想は本質において理解できない。

それが幕末の志士が、国家の存るために命を捨てる（無にする）ことができた理由である。

その典型とも言える人物が、吉田松陰、西郷隆盛等である。彼らの権謀術数の知略と、無智無欲との不思議なアンバランスの訳もそこにある。

武士はそうした無（「『0（ゼロ）』の哲学」）を生きていたから、自らの価値を評価する「我」を持たなかった。それ故に、彼らは自ら武士道を廃してしまったのである。

これが後の「村」人政治家・軍人を生み出すことに繋がり、大東亜戦争へと至るのである。

そしてそれがそのまま、戦後の無智な日本人へと連続していく。なぜ彼らが愚かかと言えば、それまで武士の持っていた無（「0（ゼロ）」）の哲学を失い、空っぽ頭になってしまったから、それまでの国家への価値（欲）を無で計るという「考える」能力がなくなってしまった、つまりその空っぽ頭を暗記鸚鵡化し、西洋を猿マネすれば、金欲は満たされたから、

「考える」必要がなくなってしまったのである。これが戦後日本の知性の墓場化である。

とは言え、むろんそれは戦後に始まったことではない。

それを戦前、東北大学で教鞭を執ったカール・レーヴィットは、『ヨーロッパのニヒリズム』(「日本の読者に与える跋」)で次のように述べている。

もちろん学生は懸命にヨーロッパの書籍を研究し、事実また、その知性の力で理解している。しかし、かれらはその研究から自分たち自身の日本的な自我を肥やすべき何らの結果をも引き出せない。かれらはヨーロッパ的な概念――たとえば「意志」とか「自由」とか「精神」とか――を、自分たち自身の生活・思惟・言語によってそれらと対応し、ないしはそれらと食い違うものと、区別もしないし比較もしない。即自的に他なるものを対自的に学ぶことをしないのである。ヨーロッパの哲学者のテキストにはいって行くのに、その哲学者の概念を本来の異国的な相のままにして、自分たち自身の概念とつき合わせて見るまでもなく、自明ででもあるような風にとりかかる。だから、その異物を自分のものに変えようとする衝動はぜんぜん起こらない。かれらは他から自分自身へかえらない、自由でない、すなわち——ヘーゲル流にいえば——かれらは「他在において自分を失わずにいる」ことがないのである。二階建ての家に住んでいるようなもので、階下では日本的に考えたり感じたりするし、二階にはプラトンからハイデガーに至るまでのヨーロッパの学問が紐（ひも）に通したように並べてある。そして、ヨーロッパ人の教師は、これで二階と階下を往き来する梯子はどこにあるのだろうか、と疑問に思う。

このことは日本「村」人が、その歴史的古層において「逃げ走る」「客分」しかやってこなかったから、一切「考える」という能力が発達しなかったことの証である。つまり「二階と階下を往き来する梯子」である、「考える」能力がゼロだということである。

それに対して西洋哲学の本質は、戦争社会から生まれたものだから——ギリシャ哲学を考えれば分かることで——そこにおいて「考える」能力が発達したのである（それが進化というものである）。

その事実は、古来、戦争の少なかった日本人をして、マネすれば済んでしまう民族とし、外国のものはなんでも立派そうに見えてしまうという歴史的古層を植え付けることになった。だからなんの意味もなく、——二階と階下との間に梯子を考えることもなく——プラトン、ハイデガーをマネするのである。それこそまさに暗記鸚鵡そのものである（それは戦後日本の西洋猿マネ化を見れば明らかだろう）。

　唯一、そうした価値観にそれほど染まらずに済んだのが武士である。だから、彼らは自らの価値基準に従って外国とも戦争をした。そういうことが、戦後の日本人には分からない（それは福沢の士風が分からぬことからも明らかだろう）。

　つまり戦後の日本人は、意識（「有の数字」から成る哲学と宗教）を、無（「『0（ゼロ）』の哲学」）との価値の落差で計るという「考える」能力を失ってしまったのである。

　そのことは、日本人には永遠に西洋人の「我考える」（主観）の思考はできぬ以上、「無私」で「考える」しかないことを示している。

　以上が私が直観で得た「私とは何か」「私が在るとはどういうことか」であって、ニーチェも同じ立場を取っている。少なくとも西洋哲学は欲望と戦争とのために、キリスト教をダシにしたニヒリズム哲学でしかない。ニーチェがキリスト教を激しく非難し、西洋文明の本質にあるものがニヒリズムだと指摘したのは的を射ている。

だが、ニーチェや私の言い分が理屈としては正しくとも、それを理解することがどれほど困難かは言うまでもない。なぜなら進化を逆行させねばならぬのだから。

13

ところで、私がなぜ「私とは何か」の問題を提起し、それと格闘してきたかについて述べておく。

私は三十歳の頃、友人と議論をしていて、突然、自分の喋っていることが、すべて親の躾、学校教育、社会慣習、書物、新聞等から得た情報を暗記させられた鸚鵡のように喋っていることに気づき、愕然としたのである。私自身の思考、意見、思想などどこにもないのである。まさに私はからくられていることに気づいてしまったのである。私はそれを切っ掛けに「私とはなにか？」の疑問を明らかにするため、一切の情報を遮断し、隠遁生活に入った。

しかし話がそう簡単に行かぬのは当然だろう。が、当時の私にはそれが分からなかった。分かっていたら、そんな無謀なことはしなかっただろう。だがそれも今や四十年近くになろうとしている。

まず情報を遮断すると何が起こるのかと言うと、「私」がなくなってしまうのである。そのことをランボーは知っていた。彼は手紙に「我は一個の他者であります」と記している（なお西洋人の「我」＝「有る」と、日本人の「私たちは考えない」＝「神話的有る」の「私」とを区別していることに注意）。ランボーがどういう切っ掛けで、そのことを知るに至ったかは分からない。なにかキリスト教を捨てるような状況が生じたのかもしれない。

ヒトは群れ本能価値を生きることを宿命としているから、他者（情報）が存在しないと「私」は成り立たない。それは群れ本能価値を欠落している西洋人（「我」）が、その穴埋めにキリスト教群れ集団価値で補っていることからも明らかだろう。

ところでニーチェや私のやったことは、進化を逆行し、サルないしは原初のヒトにまで、──「ほぼ意識の無いニヒリズム」といってよい地点にまで──価値を脱落し、そこから理屈上、意識を見上げるという形を取ったのである。そこで私が「ほぼ意識の無いニヒリズム」と注記したのは、完全に意識の無い世界とは禅定の無のような世界であり、そこに意識（言語）がない以上、その状態を言語で表すことはできない。

さらに「ほぼ」という意味は、西洋人は「我考える」意識の世界を生きており、そこからニヒリズムに落ちてしまったニーチェはそのほぼ意識（言語）のない状態から、かろうじてその言語表現で『ツァラトゥストラ』という、サルからヒトへ進化するまでの神話を描くことができたのである。そしてそこに記された「肉体のもつ大いなる理性」「肉体のなかに住む『本来のおのれ』」がニヒリズム（虚無）であり、それを「肉体のなかに住む『無』」としたのが、武士道、禅の無である。

この「ほぼ意識のないニヒリズム」と注記したことについて、今少し説明を加えれば、それは進化の逆行によって、意識がサルの本能にまで進入するという、ほとんど有り得ぬことが起こった、ということである。つまりそのことによって、意識を生きるニーチェは、意識を生きていない生命（サル）の本質に宿る「力（権力）への意志」を読み取るに至った、ということである。そしてその時感じる感覚が、俗に言われる神秘体験である。

そのニーチェのほぼ意識を欠いた、西洋人自身無意識に孕むニヒリズムの思想を、意識（主観）の視点でしか見れぬ西洋人には、まったく理解できぬか、ないしは誤解する理由がある。

そのニーチェと同じ状態を、私は生の下降・上昇という進化のメカニズムから、ニヒリズム、無に焦点を当て、さらにそれをヒトにまで進化させることによって、言語情報の下降・上昇とし、その両者の交錯するところに「意識の流れ」としての存在と時間——三次元という虚構の「空間と時間」——を産み出させるような理解に至ったのである。しかしそういうことを理解する頭を西洋人は持たない。

なぜなら彼らにとって問題なのは、あくまでニヒリズムを孕んだ主観であるところの、彼らが歴史的古層にもつ「有の数字の哲学と宗教と」から成る、欲望と戦争との思想だからである。だからそうした彼らのニヒリズムを孕んだ科学的発想は、たとえば月(つき)へなど行って喜べるのである。それが宇宙から見れば蚤(ノミ)がほんの一センチ飛び上がったにも値しないことだ、ということが理解できない。そんな金があったら、『聖書』の精神に戻って、多くの貧しい人々を救おうという発想ができない。それでいて『聖書』を信じる振りだけはする。そんな頭では、とてもじゃないが核兵器はなくならない。

それに比べて昔の日本人は賢かった。月見の宴と称して薄(すすき)を立て、団子を食べながら月の美しさを愛(め)で、団欒することで喜びが得られたのだから。金などかけずに「私たち」の和の喜びが図れたのである。だから昔の日本人は、ハーンが見たような微笑を浮かべることができたのである。

日本人に必要なのは、かって持っていた日本人の価値観を見直すことである。つまり幸福は金ではなく無償の和だということに。福沢の母親などはその典型である。

14

戦後の日本「村」人は、「考える」能力ゼロの空っぽ頭だから、西洋キリスト教文明・思想が最悪なものだ、ということが理解できない。それは近世世界史を読んでもその事実を解さず、また近代民主主義についても同断である。つまりそれがニヒリズムから成る資本主義に支えられたものだから、そうなるのだということが分からない。だから西洋思想の最悪さをマネして喜ぶのである。たとえばカント、ヘーゲル、マルクス、ハイデガーなどがそれである。つまりそれらの思想とは、まったく異なる歴史的古層をもつ日本人に、それらが分かるはずがない、ということが理解できない。彼らの思想の本質は、戦争思想によるニヒリズムに基づくものだから、他人(ひと)に損をさせる思想はあっても、得させるそれはない、ということが。資本主義の本質もそれである。

それに対して、戦争社会ではなかった日本（特に江戸時代）は、それとはまったく異なる思想進化をした。それは福沢の母親のような、ある意味無智な（損得勘定をしない）聖人のような人物を数多く生み出すことになった。それは石田、二宮も同様である。

石田、二宮は無学な一介の百姓であり、独学で自らの思想を築いた人々である。

石田は商人の道を、資本主義のそれとは異なる「『倹約をいふは他の儀にあらず、生まれながらの正直にかへし度為なり』。私欲なく『清潔にして正直』」とする石門心学の礎となった人である。

また二宮が「天地を以て経文」とし「学者輩の論説」を取らなかったとは、たとえば茄子を食べ、その味が通常とは異なる変化に翌年の冷害を予感し、それに強い作物を農民に植えさせ、「村」人を饑餓から救ったというような独特の思考法が、小田原藩家老の認めるところとなり、晩年に至っては幕府の登用するところとなった。彼は死後、まったく財産を残さなかったと言う。

むろんそうした「無私」の精神は、日本人の歴史的古層であるから、戦後においても日影の存在として脈々と存在し続けている。

近年では、アフガニスタン復興事業に尽力し、二〇一九年、ターリバーンによって暗殺された医師・中村哲の存在がある。だが戦後の日本人は自らの民族のもつ価値（歴史的古層）を評価する能力をまったく失っているから、彼の存在はすぐに忘れられるだろう。むろん彼は私欲で行った活動ではないから、それで本望だろうが。

どうして戦後の日本人は、これらの人々を評価できぬのか？

それはもともと損得勘定をしない無智の無（「0（ゼロ）」）の世界を生きてきた日本「村」人であったから、それはある意味頭が空っぽだったということでもある。しかも江戸時代は徳の社会だったから、徳のために独学で自らの頭を埋めていくという努力ができた。

だが戦後、悪い意味での完全な無智となり、しかも国家意識のない空っぽ頭の日本「村」人は、連合国によってそれまでの価値観を否定されると、あたかも西洋文明に価値があるかのように容易に洗脳されることになった。つまり空っぽ頭を、それで埋める暗記鸚鵡になったのである。しかも西洋文明は「有の数字」から成る欲望のそれであったから、それまで鎖国によって寡欲な世界を生きてきた日本「村」人は欲望に目覚めることになり、暗記鸚鵡として西洋文明・思想で空っぽ頭を埋め、それを金（欲望）に換えればいいという思考に変わっていったのである。

その典型に見られるのが朝日新聞の従軍慰安婦報道である。つまり戦前、無智な「私たちは考えない」「村」人であった、なんの罪もない兵士を、彼ら同様の無智な朝日の暗記鸚鵡は、西洋思想になんの徳のないことも自覚できず、彼らを悪者に仕立て、報道と称して金儲けに走っただけだ、ということが自認できない。それは大江健三郎著『沖縄ノート』（岩波新書）も同様である。つまり彼らこそ典型的「私たちは考えない、故に私は正しい」とする災厄人間なのである。

そしてそれが戦後の主流となった。彼らには西洋文明のもつ「悪徳」に気づくにはあまりに無智であった。この悪徳とは、幕末日本を訪れたヒュースケンが『逝きし世の面影』で述べている「おお、神よ、この幸福な情景がいまや終わりを迎えようとしており、西洋の人々が彼らの重大な悪徳をもちこもうとしているように思われてならない」のそれである。そしてまさにその通りになった。


戦後の日本は民主国家でもなんでもない。むろん戦後生まれの私は、日本を民主国家だと思っていたが、そんなものとは縁もゆかりも無いものだと、ようやく気づいた。

今日、日本が民主国家であるという定説は完全に崩れている。ただ戦後の「村」人は「考える」能力がないから、それが自覚できぬだけの話である。

まず国民の半分は選挙に行かない。それは当然で、どこの馬の骨とも分からぬ人間が、口先だけで選挙演説をしているのは、詐欺師だってできることだからである。それに、そもそも日本人の歴史的古層に民主主義を受け入れられるような素地がない。

今日、行われているのは、徳川幕府を武士なしでやっている自民党幕府のようなものである。つまりほぼ徳川幕藩体制同様、政治家も世襲、二世三世で占められている「村」社会談合派閥主義であるに過ぎない。なぜ二世三世が駄目なのかは（例外はあるかもしれぬが）、世間の荒波に揉まれた経験もなく、親の背中を見てきただけだから、ただその世襲的地位を受け継ぐことに汲々とし、政治の本道も見えなければ、また志もない。

だから自民党天下であっても、決して優れたものではなく、一時は民主党に政権を明け渡したが、彼らの政治担当能力のなさは、まことに無惨であった。

それに戦後民主政治は、西洋のようにそれを歴史的古層にもつ市民が行っているわけではなく、空っぽ頭の「村」人がただ彼らを猿マネしてやっているだけのことである。

彼らにはここが西洋ではなく日本だと自覚できるだけの知能がない。つまり日本「村」

人は、長きに渡って培ってきた農工商という歴史的古層を生き、それに支配されているが故に、そこに民主主義、（言論の）自由、（男女）平等、人権等などまったく育たず、また当然理解もできない。従って、いまだ西洋の「悪徳」も分からぬ歴史的古層を生きているのである（すでに挙げた江戸時代人に、西洋のそんな悪徳は無用だろう）。その無智な頭で西洋を猿マネするから自虐史観のようなものが生み出されるのである。

たしかに大東亜戦争は不幸なことであった。しかし福沢も言うように「殺人散財は一時の禍にして、士風の維持は万世の要なり」を忘れたら、国民精神は失われる。そしてそうした士風を欠いた戦後の日本「村」人には、西洋文明・思想がまともではない、ということが分からない。

たとえば戦後、男女平等としてフェミニズム、ウーマン・リブがはやった。また女性の政治参加（議員数）が少ないと嘆く論者もいる。しかしそれらは西洋からの視点であって、日本人のもの（歴史的古層）ではない。

そも男女平等なら異性愛ではなく、同性愛でもいいことになる。西洋に同性愛者が多いのはこのためだろう。

またそれを支持するなら、天皇は女帝でもいいはずだが議論にもならない。そういう時になると無考えに歴史、伝統、文化を持ち出す。それは日本「村」人には、議論に耐え得るだけの思考能力がないことの証である。

生命はその進化において、それを早く押し進めるためにオス・メス化した。それはそれぞれの役割分担をすることによって、進化を早めようとしたことの結果である。

過去の日本人は西洋人のような愚の道は取らなかった。男は男の、女は女の道を選択した。それを戦後の自前の頭を持たぬ日本人は、西洋のそれで計ることしかできなくなったから、あたかも男尊女卑であるかのように映るのである。

日本の男は女に対し「大和撫子（やまとなでしこ）」（日本女性の美称、▽見かけは弱そうだが、心の強さと清楚な美しさをそなえている意。『明鏡国語辞典』）の尊称を贈った。私はそれを福沢の母親に見る。彼女はたしかに政治に係わっていないが、自らがある種の社会浄化に喜びを見出すことのできるスケールの大きさを持つ女性であった。今日これ程の女性がどれだけいるか。これほどの女性であったればこそ、福沢諭吉という思想家が生まれたのである。

今日の若者の情けなさは、こうした母親を持たぬところにある。

今日、日本に女性議員が少ないのは、彼女らの意識（歴史的古層）にそうした気持ちがないからである。むしろそれ故、女性議員は日本女性の価値を貶めているようにさえ見える。そして悪いことに戦後の日本人は、西洋人の齎した欲望という悪徳に染まり、金のある伴侶を求めるようになった。つまり月見をするような男より、月に行ける男の方が価値があると。そう考えると、いずれ自壊するであろう「有の数字」に基づく、ニヒリズムを孕んだ欲望と戦争とから成る資本主義の後に、日本人はどのような価値観を持って生き延びることができるのかと、私は疑う。

15

これは話の質がちょっと異なるが、これまでのことと決して無関係ではないので記す。なぜなら睡眠と夢とに関することだからである。

まず西洋人には、禅定の無が「眠っていたんだろう」程度にしか理解できぬことについてである。これは言うまでもないが、彼らが意識（主観）からしか世界（客観）を見ることができぬからである。

すでに述べたように、四次元生命は情報の下降・上昇の無のなかで進化してきた。それをヒトは言語情報に進化することによって、その交錯するところに「有る」という時間と空間とから成る、虚構の三次元世界を生み出すことによって進化を有利にした。しかし殊、睡眠時に関しては、それはある種の休息時であるからして、進化の必要はなかった。従ってサルからヒトに進化しても、睡眠時に関してはその必要がなかったから、ヒトの睡眠はサルの四次元の無そのままなのである。

それに対して、禅定の無は眠っているわけではなく、進化を逆行させることによって、言語情報の下降・上昇の内の、その言語の部分を脱落させ、無の情報の下降・上昇に至ることによって得られるものであり、それは目覚めての無である。そのことを「我」を生きる西洋人は理解できない。なぜならそういう無は西洋人にとってはニヒリズムに陥ることであり、ニーチェのように狂う可能性のあることだからである。またハーン、ゴーギャンのような人たちは、西洋文明のもつ「有の数字」に基づく、ゆとりのない、非人間的にして強欲な世界から逃れたくなったのである。つまり月へ行くためにあくせく争うよりも、月見の宴に惹かれたのである。

ところで私は中年時には、心身ともに相当病んでいた。そのことが無関係とは言えぬと思うが、ここでは睡眠と夢との内、私の睡眠障害についてだけ述べる。

今はどちらかといえば良くなっているが、それでも一晩に四、五回は目が覚める。私には「眠気」というものがないのである。薬だよりに眠っているのである。むろんそれだけであれば単なる苦痛でしかないが、今から十年程前、私はある夢によって私の人生観がかなり変わった。

その夢は、夢そのものとしてはなんの変哲もないものである。特にこれと言ったストーリーもないものだったが、ある一点において決定的に異なっていた。それは現実感覚において著しく質が高かったことである。私はそれを今も鮮明に思い出せる。

と言ったところで、そうした体験をもたぬ人にはなんのことやら分からぬと思うが、それは私に、この人生よりも夢の世界を生きたい、と思わせる程のものだった。比喩で言えば、その夢の世界がカラー映像であるとすれば、この現実はモノクロームでしかないのである。

あるいはそれは臨死体験（私にその経験はないが）に近いものだったのかもしれない。その体験をすると人生観が変わると言われているように。正直、私には富も学問も味気ないものになってしまった。

私はそれによって、あたかも自分の歴史的古層を覗いてしまったような気がすると共に、ヒトは眠っている間も「考えている」のでは、と思うようになった。事実、たとえば夜中に突然、目覚めると私の頭のなかにある想念が浮かんでいることがしばしばあった。私は枕元に常に紙とペンとを用意するようになった。

また、通常ヒトは夢を見ているとき、それを夢だとは判断できぬと言われているが、私は稀に「今、自分は夢を見ているのだ」と思えることがあった。どうしてそう思えるのかと言うと「今自分が見ている世界は不合理であり、論理的ではないから、これは夢に違いない」と思えるのである。私は眠っている間も「考える」「肉体のもつ大いなる理性」を信じはじめていた。

そして私が睡眠中も、ヒトは「考えている」と断定するに至ったのは、ある夜、例の如く目覚めたとき「主観と客観との一致など馬鹿げている」と確信している自分を発見した時だった。

そしてつい最近その確信は、ほとんど理解不能な夢によって一層深まった。

私はその夢のなかでラジオを聴いているのだが、その話の内容は江戸時代の落語のようなものだった。夢は長かったが、肝心の部分だけを述べる。

ある旅籠（はたご）で新婚の若侍夫婦と三名の町人風体の旅人が相部屋になった。むろん相部屋といっても、それぞれ衝立障子で仕切られているが、ただ一つ当時の常識と異なるのは、部屋代が一部屋幾らであって、それを新婚夫婦が支払っていたことである。

　何事もなく一夜は明けた。そして翌朝、三人の町人風体の旅人が新婚夫婦の前に出て「昨晩は楽しませていただきまして、ありがとうございました」と言って、それぞれお礼として懐から束子を取り出し差し出すのである。話はそこで終わるのだが、ラジオのその話を聴いていた夢のなかの私は思わず吹き出してしまったのである。

　夢はそれからも延々と続くのだが、夢から覚めた私にとって重要なのはこの部分だった。正直、ショックに近かった。

　まず第一に、夢のなかに明確に別の「私」が存在したことである。それはランボーがどういう意味で「我は一個の他者であります」と言ったにせよ、その夢は私にニーチェの「肉体のなかに住む『本来のおのれ』」の存在を確信させるに足るものだ。

　第二に、それが夢のなかの「私」を笑わせることができたことである。本書では「笑い」については述べなかったが、他人を笑わせるのにはそれなりの高度のテクニック、と言うよりその仕組みを直観しておらねばできぬことだ、と思われるからである。多分、夢に笑わせられた人間などそうおるまい、と推測する。

第三に、私は生まれてこの方この種の笑い話――こういう話を艶笑小咄ということを初めて辞書で知った位で――とは無縁の世界を生きてきた。そういう話を成り立たせる知識は持っていたかもしれぬが、私の日常の意識はニーチェ、デカルトといったところにあれば、よもや私の中にこんな「私」が存在するとは思いもしなかった。これはスティーブンソンの『ジキル博士とハイド氏』を連想させたが、そんなことで済むことではなかった。

これから述べることは仮説に過ぎぬが、私にはそう考えるしかなかった。

まず第一点は、カラー映像のような現実感覚の夢についてであるが、それはヒトがサルから進化した原始、世界はそのような生々(なまなま)しさを帯びた恐怖と苦痛とに満ちており、そのカラーの世界を「考える」ことによって、稚拙ではあっても合理化、論理化（たとえば占い、天体観測等）することで、世界をモノクローム化するまでに静めようとして生まれたのが、文明ではないかと考えたのである。

第二点は、生命（サル）は、生の下降・上昇という肉体で「考え」て行動していた、という事実である。そしてその肉体で「考える」能力は、ヒトが言語化しても、睡眠および夢のなかにも受け継がれることになった、のではないか、つまりそれがニーチェの言う

「肉体のもつ大いなる理性」「肉体のなかに住む『本来のおのれ』」ではないか、と考えたのである。それは「肉体がそれ自身の理性で考える」ということである。それを意識の世界から見たのが、フロイトの無意識である。

16

これは私なりの「まとめ」であるが、まずデカルトが夢をどう考えていたかについて、再び竹田著『哲学入門』から取らせていただく。

たとえばひとはまるで現実そっくりなありありとした夢を見ることもある。夢の中では自分が見ているものを確かに実在するものと思っているが、夢から醒めれば一切が幻だったということがある。
　するとわれわれが現実だと思っているこの生も、ひょっとしたらみな夢だったという可能性が絶対ないとは言えない。そう考えるとふつう人間が現実の目安にしているありありした感覚も、それがたしかに世界の実在の証拠だとは言えない。そう考えてみよう。デカルトはこう言う。

デカルトのこの「方法的懐疑」には説得力はあるが、後がいけない。すでに述べた「神の存在証明」というインチキである。なぜなら神とは、フランスが言うように「人は自分で神を作り出し、それに隷属する」ものである以上、神がヒトにとって必要不可欠な存在とはいえ、あくまで虚構だということである。そしてその神を利用して、肉体のない「我考える、故に我あり」とするニヒリズムを孕んだ「我」を生み出し、さらにヨーロッパ人はその自覚もなしに、その「我」の欲望を限りなく膨らませることによって、没落への道を歩むことになったのである。その肉体のない「我考える」（意識）は、自然（ヒトを含む）をも数字によって「延長する物質（モノ）」として計り、自然科学を欲望の対象として発展させることになったのである（むろん自然を数字で計れたのは単なる偶然に過ぎぬが）。

確かにヒトは原始において、世界をカラーからモノクローム化したことによって、恐怖や苦痛から逃れることはできたが、その現実感覚を失ったことを、西洋人は本能的に知っていた。そこで彼らは「有の数字」のなかに、欲望という価値を見出すことによって、戦争へのそれに拍車を掛けることになった。特に砂漠に生まれたキリスト教は、欲望ゼロの土地であったから、その文明は欲望と戦争とへの指向の強いものとなった。

こうして西洋キリスト教文明は、「有の数字」に基づく欲望を価値とし、それを自然科学、産業革命、資本主義へと発展させると同時に、その欲望は戦争による世界侵略へと向かっていくことになった。たとえばヒトラーのソ連侵攻、戦後アメリカの「世界の警察官」等である。特にアメリカの見境ないとも思える、意味不明な戦争は、彼らの歴史的古層にあるピューリタン信仰に基づくものと考えられる。さらに彼らの持つ、ニヒリズムを孕んだ科学者としての一面は、「有の数字」の成果として、それを確認したいという欲望に駆り立て、それを実験に走らせることになった。それは第一、二次世界大戦における毒ガス兵器、ナチスによる医学人体実験、原爆投下等に見られるもので、特に原爆について言えば、アメリカはその投下理由について、なにかと言い訳をするが、要は広島（ウラン）型、長崎（プルトニウム）型、双方の人体実験をしたかっただけのことである。

このようにして自然科学が「有の数字」に基づいて、資本主義へと発展していくことだけでも、モノクロームの世界であるのに加えて、そこにおける過酷な競争社会は、一層カラーの世界への欲望を強く抱かせることになり、それが麻薬への方向に走らせることになった。

なぜそうなるのかと言えば、繰り返しになるが、彼らのニヒリズムの世界には、肉体の思想がないからである。つまりそれがニーチェの言うところの「肉体のもつ大いなる理性」「肉体のなかに住む『本来のおのれ』」のないことの帰結である。

そも彼らの「有の数字」に基づく思考法は、資本主義に見られるように、価値を欲望だとしか考えられぬことである。そして彼らは『聖書』を信じる振りはするが、江戸時代人のように、他人(ひと)を幸福にすることに価値がある、という考え方ができない。つまり彼らはキリスト教徒でありながら、与えることを幸福だという『聖書』の教えが理解できず、奪うことからしか幸福を見いだせぬ歴史的古層を、自己偽善を通して作り上げてしまった結果、彼らがどんな立派な理想社会を理性で描こうとも、実現するわけはないのである。その典型が共産主義思想である。

江戸時代人にも例外はあっただろうが、武士でさえすでに挙げた『新論』のような考え方をしていた。敢えて再録する。

士風を興すことなり、奢靡を禁ずることなり、万民を安んずることなり、賢才を挙ぐることなり。

この『新論』の言っていることは、士風のある者が国を統治しなければ駄目だということである（これが戦後民主主義が駄目な理由である）。これは吉田松陰、西郷隆盛といった武士を見ればよく分かることである。

彼らは士風という公欲のために権謀術数を用いながらも同時に、「肉体のなかに住む『無』」の無欲さによって、ほとんど無智とも思える行動を取るという、欲望を生きる現代人から見るといささか奇異な生き方をした人々である（松陰の生き様は、どこかイエスを思わせる）。

正直、私には三島のように戦後の日本がまったく分からなかった。私は彼ほど二・二六事件の青年将校たちを評価はしないが、彼らは戦後日本人が完全に失ってしまった、命を賭けるほどの「生」の価値を持っていたのは確かである。

従って私は江戸時代人である石田、二宮、福沢の母親、吉田、西郷にまで戻るしかなかった。彼らは「『0』の哲学」——それは無であり、空っぽ頭である——を生き、無欲で「考えた」のである。彼らは他人に幸福を与えて、初めて自らも幸福になれると素朴に信じた人々である。しかしもう、戦後の日本人には彼らの価値が分からない。なぜなら欲望化した暗記鸚鵡にまで落ちてしまったからである。

それはたとえばdemocracyを民主主義としか訳せぬ知力の衰えである。なぜならそれの正しい訳語は利権主義だからである。近代民主主義と呼ばれるものは、欲望の資本主義の上に乗っかった欲望の民主主義だからである。つまり民主国家における人間の一生は、ほぼ親の持っている財産、地位によって決定される、ということである。そのための選挙制度、無能な政治家のために無駄金を浪費し、国の借金を増やすのが民主主義である。私が『新論』などを持ち出す理由もそこにある。

どうして民主国家が、多額の税金を支払っている者を支持せず、弱者を保護するなどということが考えられようか。しかも金持ちは「有の数字」を生き甲斐（欲望）としている者であれば、格差の広がるのは当然である。

そしてそのことは同様に、中国共産主義国家の賄賂政治と言おうが、アメリカ民主主義国家の政治献金と呼ぼうが、同じことだということである。

アメリカ人の頭のおかしさは、自国の歴史を顧みることなく、中国の人権問題に触れる神経の図々しさである。そしてそれを信じる日本人の知能の低さである。

私は別にアメリカを貶め、中国を擁護しているわけではない。ただ戦後の日本人の想像を絶する頭の悪さ——たとえば三島の死を理解できない——を言いたいだけで、もはや日本人を止めた私には興味のないことである。

ただ人類が生き延びるには、脱資本主義、脱民主主義しかない、ということである。多分、人類にはそれだけの叡知はないだろう。

最後にインド哲学について触れておく。と言ってもそれについて私は、西洋哲学以上にチンプンカンプンなのではあるが。その上、学者輩の書くインド哲学への解説も、その本質においてまったく分かっていないように感ぜられた。

もともと私は、二宮のように「学者輩の論説」は取らぬ主義、と言うより学者という人種は、自分の頭で「考える」ことをしない鸚鵡だと悟って以来、私は自分の頭で考えることを習いとしてきた。

だが正直、「『0（ゼロ）』の数字」から成るインド哲学の生まれた、その地政学的、気候風土的要件というものが、私にはまったく分からない。ただインド人が死後、自分の身がインダス川の畔で焼かれ灰となり、川に流されることに喜びを見出せる宗教観であることを聞かされ、私の想像力が膨らんだに過ぎない。その葬送の形は、文字通り自然に帰る——墓などというケチなものは作らぬ——という意味でスケールの大きな世界観だと感ぜられた。

　これは三島の輪廻転生、ニーチェの永遠回帰である永遠の生、ないしは西田の永遠の死に繋がる思想だと思える。つまり「0」の解脱の哲学（宗教）にとって、生も死も同じであり、それは無であると同時に、また無限をも含んだものだと言うことである。つまり無も無限も共に、初めも終わりもないという意味では、明らかに「有の数字」とは異なるものだ、ということである。従って彼らにとって、死は無であると同時に、永遠の生だということになる。そこに、インダス川にわが屍を流すことへの宗教的な喜びがあるのだろう。

　ところが、この「0」の価値観を西洋人は持たない。従って無限の概念もなく、あくまで「有の数字」から成る哲学と宗教とに基づく、欲望の世界観しか作れない。つまり有の数字によって計れる価値観——たとえば資本主義——しか持てぬ、ということである。

　そのいい例がノーベル賞（オリンピックのメダルなど）である。

　私はつい最近まで、ノーベル賞を授与されて喜んでいる日本人を見て、演技しているものとばかり思っていた。正直、厄介事に巻き込まれて気の毒だとさえ思った。なぜなら賞を貰ったからといって、一寸たりとも自分の業績の価値が変わる訳ではないのだから。つまり信念をもって自分が行ってきたことを、他人(ひと)が褒めようが貶そうがどうでも良いことだから。それに名声など虚しい幻影でしかない。

ところが彼らが本当に喜んでいるのだと知って、私は驚いた。ここまで日本人は西洋的価値観に染まってしまったのかと。そんな日本人に福沢の母親らの価値観など分かるはずがない。

それは三島の死が理解できぬのと同断のことである。つまりたまたま天才にされてしまった「『0(ゼロ)』の哲学」を生きる彼にしてみれば、まったく無価値化してしまった戦後の日本人の中にあって、ただ自己流の演技をし、その反応を見て面白がって大笑するしかなかったのである。それは彼が「私は戦後を鼻をつまんで生きてきた」と言っていることによって裏付けられよう。犀利にして、日本的価値を生きてきた彼にとって、ノーベル賞など問題外だったのである。問題だったら三島事件など起こすわけがない。それはニーチェ、ランボー等を天才視する世間という、永遠に無智な人々との間に生じざるを得ぬ喜劇である。

正直のところ、戦後日本人の頭の悪さは鼻つまみものである。それは戦後三〇年、日本の敗戦を信じず、フィリピン、ルバング島に潜伏し、その後帰還した小野田寛郎が、まったく真面(まとも)ではない日本に嫌気が差し、ブラジルに移住した理由もそこにある（私が日本を捨てたのも本質的に同じである）。

なぜ戦後の日本人が真面ではないかと言うと、もしかしたら小野田の方が真面で、おかしいのは自分たちの方ではないか、と疑える知力をまったく欠いているからである。それは鸚鵡化した、一切の思考停止状態である。言い換えれば「私たちは考えない、故に私は正しい」とする、もはや思考状態にない災厄人間の頭で、自分は「考えている」と思っている最悪の意識（「有る」）状態だ、ということである。そんな頭では、間違っても西洋思想の本質に横たわるニヒリズムなど読み取ることは出来まい。

日本人は日本的価値観（歴史的古層）を生きるべきである。それは脱資本主義を本気で考えるべきだ、ということである。資本主義が日本人に向いてないのは、中高年の引き籠もり人口が一〇〇万人も存在し、自殺大国であることを考えれば分かりそうなものだが、戦後日本を支配している災厄人間の放つ「空気」の質の悪さに問題がある。日本人はこの質の悪い権力と対峙すべきなのだが、暗記鸚鵡にはそれを「考える」だけの知恵がない。

話はやや逸れてしまったが、インド人にとって、無であり無限である宇宙にロケットを飛ばすことに、なんの意味のないことを悟る知恵がある。ところが西洋人はあくまで「有の数字」に執着し、それを積み上げようと宇宙に向かって突き進む。その本質は、なにかと言っては自己偽善によって自己を騙し、その落ちぶれた宗教観をもって、欲望・戦争に走りたがるようなものである。こんな世界観がいつまでも持つ訳がない。

それに対して、インドのマハトマ・ガンジーは、イギリス植民地支配に対し、インド人の人権擁護のために非暴力抵抗運動を組織し、またイギリス繊維工業への依存を断ち切るために、糸車運動（脱資本主義）を奨励するなどして、インド独立の指導者となった人である。これは彼のなかに欲を失った「『0（ゼロ）』の哲学」（無と無限と）があったから出来たことである。

こうした思想を戦後の日本人は失ってしまった。彼らは丸山のような「勝ち馬に乗る」人物、つまり戦前、抵抗運動のかけらもせず、戦争に負けるや否や直（ただ）ちに、「間違った戦争」観に走る人間である。従ってそうした人間から見れば、「負け馬に乗った」三島の言動など分かるはずもない。

また西洋人にも当然、ガンジーのような発想はできない。彼らにはなにかと理屈を作り出し、それを暴力に訴え欲望に走る思考しかできない。彼らは「『0(ゼロ)』の哲学」を持たぬから、自らが悠久（無と無限と）の天地を生き、その経文を読むという発想ができない。つまり株式市場の株価に、一喜一憂するような生き方しかできぬのである。これは私から見れば完全に「永遠の生」ではなく、「有の数字」から成る欲望の世界である。

これは言い換えれば、西洋人には（戦後の日本人にも）色即是空の世界観の意味が分からぬ、ということである。つまり有の数字という延長する物質（モノ）の世界とは、物質界という「色」から成る「空」に過ぎぬ、ということがである。

西洋人は古代から、戦争社会という欲目でしか世界を見れぬ歴史的古層を持ってしまったが故に、その欲目による自己偽善によって『聖書』を改竄に改竄を重ねたあげく、ついにはその教えがまったく分からぬ程の欲望人間になってしまったのである。

それはまさにニーチェの言う神（キリスト）の死んだ、欲望のための宗教でしかない。

そして彼らの自己偽善による嘘つき根性は、単なる欲望（利権）のための民主主義でしかないものを、なにか価値があるかのように見せかけ、多くの者を騙しているという現実である。

それはまさしく『聖書』の言うソドムとゴモラの世界であり、それはキリスト教徒ではない私にさえ、いずれ天罰（人類の没落）が下るだろうことを予感させる。

それはもし人類が生き残ろうとするなら、インド哲学のもつ「『0（ゼロ）』の数字」（空、無）に基づく思想によるしかないことを暗示させる。

17

私は前項で話を終えた積もりでいたが、些か考えるところが浮かんできたので先を続けさせてもらう。従って重複する箇所もある。

戦後の日本人はレーヴィットの言うように、二階ではプラトンからハイデガーに至るまでのヨーロッパの学問を空っぽ頭で暗記し、階下ではその空っぽの思考から一歩も出ることができぬから、その間を繋ぐ「梯子」である「考える」ことができぬ、と記した。それは要は、自分が暗記鸚鵡になって賢くなったと思っている自己満足でしかない。

　生命は群れ本能を生きているから、単独者として判断行動することはできない。これはヒトに進化しても、基本においてはあくまで「私は考える」ことはできぬ、ということである。

が、ヒトは言語に基づく価値という虚構の世界を生きるまでに進化した結果、そこに備わっていた闘争本能的価値に加えて、虚構から成る価値の拡大という欲望に目覚めることによって戦争は一層激化した。従ってそれに勝つためには、無理にでも「私は考える」という思考法の必要性に迫られることになった。

　その「考える」方法には、私の知る限り二つしかない。それは「有の数字」から成る思考法と、「『0（ゼロ）』の数字」から成るそれとである。

　前者はニヒリズムを孕んだデカルトの「我考える」であり、後者は武士（禅者）の「無私」による「考える」である。

「我考える」がなぜニヒリズムを孕むのかと言えば、ヒトはもともと四次元生命である「肉体」のもつ群れ本能的価値を生きるよう作られているものを、ヨーロッパ人はそれを破壊し捨て、そこをキリスト教疑似群れ集団価値によって、意識より成る虚構の「我考える」を可能にしたのである。

もともと彼らはその歴史的古層に、砂漠から生まれた「有の数字」から成るギリシャ哲学、キリスト教を持っていたから、彼らはあくまで「我考える、故に我あり」の意識（有るという三次元身体）の視点からしか世界を見ることができない。つまりその事実は、彼らは「我」という主観（意識）からしか世界という客観を見ることとしかできぬ、という制約された世界観を生きざるを得なくなったのである。そしてその客観とは、延長する物質（モノ）の世界だから、西洋文明は「肉体という大いなる理性」を失った、人間性に乏しい――世界をモノとしか見ることのできぬ――ニヒリズムの世界に陥ったのである。つまりナチスのホロコーストも、原爆投下も、その結果として、成るべくして成ったということである。

そうした「有の数字」から成る思考法は、半ば必然的に、宇宙は有になるからして、宇宙論は今から一五〇億年前に起こった大爆発（ビッグ・バン）によって始まり、また宗教観でいえば終末論と言うことになる。彼らは宇宙の始まりの前になにがあり、終末論の後になにが来るのか、とは考えない。それが彼らを「有」（三次元）の世界である「存在と時間」の思想に縛らせるのである。だから彼らには「無、無限」（「『0（ゼロ）』の哲学」）という四次元世界が、仮に理屈として分かったとしても、「肉体のなかに住む『無』」を色即是空としては理解できない。

この「肉体のなかに住む『無』」、色即是空が私の言う今一つの「考え方」である。そしてこれが分からなくなってしまった戦後の日本人は、当然の帰結として「考える」ことができない。なぜなら彼らは肉体ではなく頭で、しかも空っぽのそれで「考え」ようとするから分かるはずがない。

無とは文字通りの無であるからして、言語では説明できない。それを理解できるのは、「肉体のもつ大いなる理性」だけである。

別言すれば、無と無限とから成る「『0（ゼロ）』の哲学」は、「有の数字」という三次元身体（意識）に基づく言語（価値）体系から世界を計る西洋人には、言語に基づかぬ四次元身体である「肉体のなかに住む『無』」は理解できない。つまり色即是空の「色」として世界を見、それを実体のない「空」と見ることは彼らにはできぬのである。

ヨーロッパ人に「無」（色即是空）がまったく理解できぬように、日本人もその歴史的古層にある日本文化としての「無」（それが空っぽ頭でも）からしか世界を見れぬ以上、ヨーロッパのニヒリズムを孕んだキリスト教文明の「我考える」思考法が理解できぬのは当然である（ただしニーチェや私のようにニヒリズムに陥ればある程度理解できる）。

日本人にできることは、身心脱落によって価値を脱落し、それによって「肉体のなかに住む『無』」に達することで「無私」となり、そこから意識（三次元世界）を見上げることによって、その落差上に「考える」ことを可能とするだけである（西田のやろうとしたことはこれである）。

東西の思考法に違いはあるにしても、そこに共通しているのは、共に食うか食われるか、殺すか殺されるかの進化の根源にある闘争から生まれたものだ、ということである（禅は闘争とは関係ないが、武士と禅とが近いことは、両者の無に至る進化の逆行のメカニズムが、同じであることからも明らかである）。

ところで私がここで述べたいと思っている主目的は以上のようなことではない。これまで述べてきたのは、ある意味前置き的なことである。

私にこの項を書かせる切っ掛けとなったのは、佐伯啓思著『自由と民主主義をもうやめる』の第三章「成熟の果てのニヒリズム」の「日本文化の核心にある『無』」に触発されてのことである。

まず氏のその文章を引用しよう。

京都哲学にはもう一つ論点があります。

ヨーロッパはニヒリズムに陥ってしまった。ニヒリズムとはすべてのものが無意味と化す状態です。言い換えれば、これまで正しいと思われてきた物事の「根拠」がなくなって「無根拠」になってしまうことです。

一九三一年に数学者のゲーデルが、科学であれ、いかなる合理的な言説の体系であれ、自ら自身を基礎づけることはできない、ということを論理学的に証明しました。いわゆるゲーデルの「不可能性(ママ)の定理」と呼ばれるものです。

この定理の意味するところは、いかなる学問体系であれ、科学であれ、それが真理であるという確かな理由は存在しない、ということです。最も合理的で正しいと思われた科学も実は「無根拠」だったわけです。

ゴシック様式の高い建築物が象徴的ですが、一つ一つ石を積み上げるように、物事をロジックによって上へ上へと組み立てていくのが、ヨーロッパの基本的な考え方です。ところが、ゲーデルは、どんなに石を積み上げても、一番底が空洞であることを示してしまった。土台はどこにもなかった。

ヨーロッパの場合、学問にせよ、建築にせよ、まさに石で造られた寺院のように、上に伸びるように構築していくだけに、この「無根拠性」は非常に大きな打撃です。ニヒリズムはこうしてすべてを壊していったのです。

これに対して西田幾多郎が言ったのは、東洋では無意味であることが最初から前提になっているということです。言ってみれば「無根拠」ではなく、「無」が「根拠」となりうる。

東洋には「無」という考え方があり、最初から世の中は無意味であることを知っている。しかも、その「無」は、すべてのものを受け止めている。

特に日本には、世の中に常なるものはなく、すべては無常であるとする価値観が強くある。壮大な建築物が「無根拠」によって崩れたとしても、時が来ればすべてのものは崩壊していくのは当然だと思っている。権勢を誇った者が滅びるのは当然の理だと思っている。だからニヒリズムに陥ることもなく、「無根拠」によってまったく動じることもないわけです。

さらに言えば、逆に無の中からこそ、いろいろな「意味」が生まれてくる。「色即是空」に対して「空即是色」となるのであって、確かにこの両者は同じことなのです。

ここで数学者ゲーデルと思想家ニーチェとを重ね合わせることは、突飛に思われるかもしれない。しかしゲーデルが「どんなに石を積み上げても、一番底が空洞であることを示してしまった」ことは、ニーチェにしてもヨーロッパ・キリスト教文明の「合理的な言説の体系」というゴシック建築の底部にあるギリシャ哲学、キリスト教がニヒリズムを孕んだ空洞であり、まったくの無根拠であることを見抜いたことでは、彼ら二人の辿ったその道筋、また衝撃度においてこそ異なれ同じである。

ニーチェはそこにおいて、そのゴシック建築の基底にあるギリシャ哲学、キリスト教がまったくの無根拠であり、それらを抜き取ればヨーロッパ・キリスト教文明は崩壊すると予言したのである。

なぜ彼にそのような予言ができたのかは、進化において人類はそれ以前の、サルが肉体にもつ四つの本能を本能的価値とし、それを歴史的古層にもつ存在であることを、彼の肉体が直観したが故に、それを破壊し捨て去ってしまった「我」という存在はもはや正常な生命では有り得ぬことを、つまりギリシャ哲学、キリスト教から成る意識（三次元身体）

という虚構で成り立っている思想は、もはや肉体（群れ本能的価値）を持たぬが故に、無根拠であるニヒリズム（虚無）に外ならぬ、と言ったのである。

すなわちヨーロッパ、ゴシック建築という体系化された世界を、ニーチェはギリシャ哲学、キリスト教という無根拠性を取り払うことによって、自らもまたその思想を瓦解化（崩壊）させたのである。そしてその完全に瓦礫化した――それまでのヨーロッパ・キリスト教文明を成り立たせていた価値を崩壊させてしまった――世界で、彼はその「0（ゼロ）」の地点から自らの思想を築き上げねばならなかったのである。それが故に彼は、『ツァラトゥストラ』という神話および箴言という形を取らざるを得なかったのである。

彼の思想的予言はまさに第一次世界大戦によって現実化され、それは今日にまで至っている。しかし歴史的古層において、ニヒリズムによって欲望人間化しているヨーロッパ人には、ニーチェの価値（欲望）を脱落した（無化した）思想は理解できなかった。

これはまたゲーデルの言ったことが、歴史的に現実化した、ということでもある。

それに対し、日本人の「根拠」となるのは「無」以外にない。が、その無が武士や禅者のそれのように、「考える」根拠となる場合と、まったく無智（空っぽ頭）のそれとでは大きく異なる。

さらに日本には無常という価値観があるが、これは色即是空に近いものであって、「考える」人間も、空っぽ頭の人間にもある程度共通しているので判断は控える。

まず「考える」武士等では、たとえば松陰、西郷、福沢、西田等であり、無智の側では、福沢の母親、ハーンの述べた車夫の微笑のそれである。前者については特に述べることもないが、後者のハーンの説明には、若干違う点があるように思われるので追記する。

日本は戦争の少ないガラパゴス的進化をしてきた結果、敵をいかに多く殺すかという思想（智といってもいい歴史的古層）は、武士を除けばまったく発達しなかった。

そも思想（智）とは「考える」ことだが、その「考える」能力を戦後の日本人は皆無といっていい程持っていない。ただ文字通り「無根拠」に「考えている」と思っている暗記鸚鵡である。それは「村」人の歴史的古層にあった「私たちは考えない、故に正しい」の「考える」であるに過ぎない。

江戸時代まではそれでも良かった。武士と「村」人とはある程度歴史的古層を同じくし、しかも「村」人が支配者である武士を養っているという関係にあった以上、「村」人は「考える」必要はなかった。

その上、武士は『新論』にあるように「万民を安んずることとなり」であり、万民が戦争に加わることはなかったから「考える」能力はまったく発達しなかった。その事実は「村」人の歴史古層には、まったく闘争本能的価値が発達せず、ただ群れ本能価値だけを蓄積することになった。

そも「群れ」という価値には「自他」の区別がない。従って個の意識がまったく成育せぬことになる。すでに述べたように個の意識は、東西共に戦（いくさ）（戦争）において闘うことによって発達した「考える」能力である。つまり進化の原理によって発達した能力である。それが武士が存在しなくなった戦後の日本人は、「村」人の「逃げ走る」歴史的古層しか持たぬが故に、「考える」能力のない空っぽ頭を生きることになった。それが歴史的古層に基づく戦後の平和ボケである。

ガラパゴス的島国に住んでいた日本人の平和ボケは、ある意味『古事記』の時代から始まっていた。

『古事記』には次のような記述がある。要約して述べる。

仁徳天皇が高い山に登り、国に烟（けぶり）が立っていないのは民が貧窮（まず）しいからだ、今から三年、人民の課役（ふえき）を免除することにしよう、その結果、皇居は壊れ、雨が漏れることになったが、それによって国には烟が立ち人民も富んだ、だから今は課役を課することにしよう、という話である。

これは単なる善政というような性質のものではない。日本においては古代から群れ本能的価値が育っていたことの証である。そこに西洋のような個の思想は生まれようがなく、従って自他の区別が生まれなかったから起こったことである。

そうした自他の区別のない「私たち」の意識をもって生きてきた日本人の歴史的古層は、歴史上に特に現れることもなく、延々と続いてきたのである。

それが平和だった江戸時代、たまたま福沢が自分の母親のことを記し、またハーン（特に彼だけに限らぬが）のような西洋人が、日本人の特殊性に驚かされただけのことである。

それは彼らが損得勘定のない無智だった、ということである。なぜなら智とは、得をするために発達したものであるのだが、日本人の多くにそれは生まれなかった。

福沢の母親で言えば、自分と乞食女との間に自他の区別がつかなかった。さながら母親と娘との関係のようなものである。だから彼女は虱を取ってやることに幸福を感じ、褒美に飯まで食わせてやったのである。

また車夫の場合で言えば、現代人であれば殴られたら怒るのが常識だが、自他の区別のない彼は殴った相手が許してくれたことで、幸福になれたから思わず微笑したのである。当然そこに「軽蔑もなければ偽善もない」。

こうした日本人を生み出した背景には、「主人」である武士の（特に下級の）『新論』に見られるような思想があったから可能だったのである。

さらに日本は「木の文化」である。だから自然が滅びる（「0（ゼロ）」になる）のは当たり前であり、そこには滅びの美学というものさえ生まれた。そうであれば、そこには西洋ゴシック建築のような、いかなる理性、合理性、体系的なものは生まれようがない。あるのは空っぽ頭を含めた無であり、無常観である。

私が司馬という作家に呆れたのは、彼の『言語についての感想』を読んでいたら「私ども人間は、言語体系によって世界を把握している」という一文に出会ったときであった。日本に「体系」と呼べるようなものは一切ない。

彼の無智は、まさに武士という「主人」を失った「村」人のその空っぽ頭を、西洋（特にアメリカ）的価値観で埋め、それで自分は「考えている」と思っていることである。彼には完全に武士のもっていた「無」がないのである。

たとえば『葉隠』の「博奕をうて、虚言をいへ、一時の内に七度の虚言いはねば男は立ぬぞ」である。武士はそれだけで分かったのである。そこには理性も、合理性も、体系的なものも一切ない。武士とはそうしたものであって、それがまったく理解できぬ司馬史観なるものが罷り通る戦後とは異常である。

それは完全に日本から「肉体のなかに住む『無』」が失われ、「肉体のもつ大いなる理性」で「考える」ことができなくなった、ということである。

それは当然、司馬だけに限られたものではなく、日本人全体に言えることである。

江戸時代までは、武士という主人の下で、自他の区別もできぬ無智な福沢の母親や、ハーンの言う車夫のような人々はそれなりに幸福に暮らしていた。だがそれが、戦後アメリカというまったく歴史的古層の異なる者が主人（支配者）となったにも拘わらず――それへの理解は日本国憲法一つを取ってもない――それが日本人には実感できず、ただ洗脳されるがままの暗記鸚鵡となったのである。

一部繰り返しになるが、それは朝日新聞の従軍慰安婦報道、大江健三郎著『沖縄ノート』（岩波新書）裁判に如実に示されている。

つまり彼らは完全に「間違った戦争」観に洗脳された頭で、自分は「考えている」と思っているのである。そも彼らには、「考える」ための主観も無もなく、ただ主人に支配された付和雷同の空っぽ頭で考えているから、戦争に「正しい」も「間違い」もないことが分からない。戦争は単なる戦争であって、もしそこに善悪の価値観が入るのなら、人類そのものが「間違い」だということになる。

それに彼らにはジャーナリズムを理解するだけの知力がない。

ジャーナリズムは西洋戦争社会から生まれたものだからして、最大限情報を重視する。しかるに彼らは「間違った戦争」観（旧日本軍＝悪）に洗脳された空っぽ頭だから、朝日新聞は『吉田証言』なるマンガ本をただ信じるだけで、その事件現場である済州島を取材、調査することもせず、また大江氏も同様に『鉄の暴風』なる本を下敷に、氏の妄想によって、旧日本軍人が渡嘉敷島島民に「集団自決命令」を出したという、ほとんど幼稚園児並みの知能で記述したのである。なぜ幼稚園児並みかと言えば、世界に「自決命令」を出すような愚かな軍人は一人もいない、ということが「村」人の歴史的古層しか持たぬ氏には分からぬのである。

日本には「道」という思想がある。これについて明確な定義はできぬが、それは無常観であり、色即是空であり、無であるところの欲を捨てた心身寂静の境地である。それはスポーツのように勝ち負けにほとんど価値を置かぬ世界である。スポーツの起源は、もともと戦争社会であった古代ギリシャにおいて、戦闘のための肉体鍛練から生まれたもの（オリンピック）であり、それを「平和の祭典」などと言うのは真っ赤な嘘である。

そうした精神とは無縁なところを生きてきた過去の日本人は、たとえば加来耕三著『日本人は何を失したのか』において、イギリス人・ブリンクリが目撃した武士の果たし合いに示されるところである。

その果たし合いは、呆気なく終わってしまうのだが、その後の、勝者が敗者に執った行動にブリンクリは痛く驚かされるのである。勝者は斃した敗者を自らの羽織で覆うと、その前に跪き恭しく合掌したのである。

この合掌はインドで古くから伝わる礼法（「『0』の哲学」に由来する）であり、仏教においては仏を拝む行為である。

それに対し「有の数字」から成るニヒリズムを生きる西洋人にとって、勝利はいわゆるガッツ・ポーズのような歓喜の形で表される。これはあくまで伝聞であるが、原爆投下の成功の一報を聞いたトルーマンは、小躍りして喜んだと言う。これは後に述べるヒトラーが言わばユダヤ人インフルエンザにかかった症状と同じく、日本人インフルエンザによる発作である。

この対照的反応の違いは、日本人は仏教徒であり、そこにはニヒリズムはなかった、ということである。つまり福沢の母親も、ハーンの車夫の微笑もそこに繋がるものである。

そうした歴史的古層をもつ日本人であれば、従軍慰安婦を強制連行したり、南京大虐殺などするわけがないのである。そのようなことに翻弄される戦後の日本人とは、底抜けの愚者だということである。

戦後、西洋文明の影響を受け暗記鸚鵡化し、また欲望人間化した日本人は、もはや過去のこうした世界とは無縁になってしまった。

私には戦後の日本を見ていると、七十五年前の焼野原にただ民民ゼミが鳴いているだけのイメージしか思い浮かばない。恐らく三島もそれに近いものを見ていたのだろう。彼の檄文を読んでいるとそう感ぜられる。

彼は檄文に次のように書く。

経済的繁栄にうつつを抜かし、国の大本を忘れ、国民の精神を失ひ、本を正さずして末に走り、その場しのぎの偽善に陥り、自らの魂の空白状態へ落ち込んでゆくのを見た。……自由でも民主主義でもない。日本だ。われわれの愛する歴史と伝統の国、日本だ。

三島を理解する者はもはや日本にはいないだろう。

結語　西洋のニヒリズム

実はこの部分は、私の原稿を読んで下さった方（以下、貴方と書かせてもらう）の寸評を読んで、その一部に刺激されて、どうしても書かねばならぬ気持ちにさせられて記すものである。それは次のようなものである。

中には同趣旨の言説が繰り返し登場する箇所も見受けられる。全体をモティーフごとに幾つかの章に区分して、小見出しなどを設けたほうが、より読みやすい作品になるのではないだろうか。

これに対する答は幾つかある。
まず第一に、私に残された時間はそれほど長くない、ということである。が、そんなことは正直どうでも良い。
第二に、私の反省すべき点に気づかされたことである。

それはたとえば福沢に限らず、思想家とはただ一つの目標に向かって、あれこれと論ずる人種だということである。彼の場合で言えば、彼の目標は「一身独立して一国独立する事」であって、それには日本人は「逃げ走る」「客分」ではなく「主人」にならなくてはならぬ、そのためには、未開、半開、文明の段階を経て、日本も西洋文明を目的としなければならぬと、言わば口を酸っぱくして言ったまでのことである。それは私も自らの著作で口を酸っぱくして同じことを論じたから、結果的に繰り返しが多いことになった。

が、私が貴方から教えられた教訓は、耳学問は――書物を読むだけでは――役に立たぬということである。つまり福沢の著作をいくら読んでも、空っぽ頭（ペット）にはなんの役にも立たず、士風（無）がなければ単なる口先人間になるだけだ、ということである（戦後の日本人はほとんどこれである）、学問は肉体（「肉体のなかに住む『無』」）で学ばなければ意味がないのである。

戦後、アメリカによって武士道から家庭教育に至るまで肉体の学問を失ってしまった日本人は、「主人」の作った憲法、およびすべてのものにおいて隷属する「召使」にまで落ちぶれてしまった。これはもはや国家でもなければ、国民も存在しない。ただの誇りを知らぬペットによる保護国の繁栄である。こんな国家擬きはいつ崩れてもおかしくない。

つまり私の反省点は、貴方の「同趣旨の言説が繰り返し登場する」ことによって、論理を尽くし、口が酸っぱくなるまでに論じればヒトは理解する（話せば分かる）ものだという、甘い楽観論があったことである。

しかしそれは朝日新聞、大江氏に限らず、士風のないペット化した学者、知識人等に、なにを言っても無駄だ、ということである。文字通りの馬耳東風である。

第三に（これがもっとも重要なことだが）、「全体をモティーフごとに幾つかの章に区分して、小見出しなどを設けたほうが、より読みやすい作品になるのではないだろうか」である。私も過去に、ある程度その努力はしたが、はっきり言って苦痛であった。

それはニーチェを考えれば分かることである。彼は見出しどころか『ツァラトゥストラ』という神話、また様々な箴言集に見られるように、「読みやすい作品」どころか、ある意味支離滅裂である。

私は『ツァラトゥストラ』を理解している人間など、一人もいないと思っている。それはニーチェ自身にしても理解できなかったから、神話、箴言という形を取ったのだと思う。

それは私にしても、私自身が理解できぬところから類推すれば分かることだと言うより、そもそも私なんてものは存在しない。なぜそうかと言えば、私という存在（主体）そのものが虚構（嘘）であり、私とは単に解釈によって成り立っている存在であるに過ぎぬからである。

この意味することは重大である。なぜなら私という存在は、解釈（洗脳）によって成り立っているのであり、その解釈を保証するものはなにもない。つまり私は無根拠の上に成り立っているニヒリストだ、ということである。

このことは同様に「我考える」にもなんの根拠がないのを、デカルトは自己偽善を通して、自分の都合のよい神を捏(でっ)ち上げ、その保証（根拠）によって、「我考える」を成り立たせた、ということである。つまりデカルトの神は、彼の解釈（自己偽善）によって作り出された無根拠な神であるからして、彼の哲学「我考える、故に我あり」はニヒリズムという無根拠の上に成り立っているのである。すなわち西洋キリスト教文明そのものが、ニヒリズムというイカサマの上に成り立っているのである。

その点、仏教は「我」の根拠を「無」に置くことによって、この問題を解決したからニヒリズムはない。

ところで、古代神話とニーチェのそれとでは当然異なる。

古代神話は、混沌流動としている四次元世界を、言語によってその世界を、自己にとって価値の拡大となる方向へ言語によって切り分け、三次元化（意識化）したものである。ところが理性、合理性という視点から見ることに慣れている（洗脳されている）現代人――ただし日本人は無考えにそう思っているだけ――には、古代神話とは荒唐無稽な話としか映らない。それは資本主義、共産主義、民主主義等も同様にして作られた神話だ、という自覚がないということである。なぜ自覚が持てぬのかと言えば、それがまさに「洗脳」そのものだからである。ヒトはそうした洗脳の世界を生きているのである。

これはニーチェにとっても、理性、合理性、思想体系より成るヨーロッパ・キリスト教文明というゴシック建築の土台に対して、彼のニヒリズムの視点から見る限り、まったくの無根拠である（彼は洗脳を解かれている）が故に、それは彼のなかで完全に崩壊し、瓦礫化してしまったのである。

すなわちニーチェは、瓦礫化（無価値化）した言語をもって古代人が神話を書いたように、その瓦礫化した言語をもって、「0（ゼロ）」化した世界に『ツァラトゥストラ』という彼なりの神話を打ち立てるしかなかったのである。箴言集も同様である。そんな彼の思想が、ヨーロッパ文明という、意識から成る価値を信じ、それを根拠として「考える」人々に分かるはずがない。つまり貴方の言う「見出しを設けたほうが読みやすい」とは、ヨーロッパ文明という価値（言語）を根拠として成立している、その洗脳によって作られた虚構（嘘）の世界——われわれヒトはそうした無根拠の世界を生きているのであり、従って正しいものなどどこにもないのである——を信じられる限りにおいては、正しいかもしれぬというだけのことなのである。そしてそれを「正しい」として根拠づけるのが宗教（信仰）である。

従ってニーチェ同様、ニヒリズムに陥った私にとって、これまで世界を洗脳によって価値付けていた一切の根拠が崩壊し、瓦礫化（無価値化）した人間にとって「見出しを付ける」とは、読者に分からせたいという気持ちはあるにしても、ほとんど意味を成さぬのである。

私は以上のことを教訓として教えられた。と同時に想像力を刺激され、今一度、ニヒリズムについて言及できるだけの論理が芽生えた。それがたとえ多くの仮説に基づくものだとしても。

私がここで論じようと思っているのは、ニーチェの言う「ヨーロッパのニヒリズム」であるが、それはアメリカにも及ぶので「西洋の」とした。

まず彼が「主体は虚構である」と言っていることである。繰り返しになる部分もあるが、それについて一応述べておく。

その意味は、言語（価値）から成る意識という主体（我）は虚構（嘘）であり、その意識から成るヒトの主観の前に広がる世界（客観）も、言語（価値）による洗脳によって成り立っている虚構（嘘）だ、ということである。別言すれば、世界とは単に解釈によって成り立っている虚構（嘘）なのである。

これを仏教的視点から言えば、色即是空だということである。つまり実体だと思われている世界は、「色」という虚構（嘘）から成る「空」だ、ということである。ここにニーチェが仏教に関心をもった謂われがある（これは佐伯氏がゲーデルについて述べた「『無』が『根拠』となりうる」のである）。

しかしこうしたこととは、「我考える、故に我あり」という意識の世界を生きる西洋人には分からない。

私はこれまで、彼らは群れ本能的価値を破壊し、そこをキリスト教疑似集団価値で埋めてきたと書いてきた。それはそれで正しいと思っているが、事実はそれよりさらに進んでいるのではないか、と考えるに至った。つまりキリスト教疑似集団価値で埋めたのではなく、もはや彼らから群れ本能的価値は失われ、「『我考える』キリスト教集団価値」に思想進化（変異）してしまっているのではないか、と。このことは、彼らは「我考える」以上、もはやニヒリズムから逃れられぬ思考体質（歴史的古層）に成ってしまっているのではないか、ということである。

それをニーチェは、ヨーロッパのニヒリズムと言ったが、それは現今のアメリカの問題でもある。

ニヒリズムとは何か、といった語源的なことはこの際述べない。またニヒリズム（虚無）、無が進化の逆行というメカニズムによって起こることも、すでに述べたので繰り返さない。

ここで述べるのは、西洋に存在するニヒリズムとはどのようなものかに焦点を当てる。

ニヒリズムという概念は、ニーチェによって一躍脚光を浴びることになったが、その思想の本質はまったくと言っていいほど分かっていない。

それまでヨーロッパ哲学は、デカルト、カント、ヘーゲル等の理性、合理性、論理性に基づく思想体系の下に成り立っていた。

ところがそれが突然、第一次世界大戦における戦車、毒ガス兵器等による殺戮に、また第二次世界大戦におけるナチスのホロコースト、アメリカの原爆投下等によって、まさに彼らが殺人狂であるかのような観を抱かしめるに至った。

そして私はそうした彼らの思想の根底にあるものを、ニヒリズムと呼ぶのである。

ちなみにアメリカ人（特にＷＡＳＰ）には、まったくニヒリズムに対する自覚がない。記憶は曖昧であるが、原爆投下作戦の指揮官が、平然と画像のなかで、自らの肉声で、日本が降伏しなければ、もう三、四発、投下する積もりだった、と述べていたことからも、彼らがニヒリズムに陥っているものと断定した。

ここで誤解を招くといけぬので一言注記しておく。ニヒリズムはキリスト教（『聖書』ではない）と表裏一体の関係にあるから、キリスト教徒である限りニヒリズムの自覚はない。ニーチェのようにキリスト教という価値を脱落し群れ本能的価値に穴が空くと――より正しく言えば、「『我考える』キリスト教集団価値」の内の「キリスト教集団価値」が脱落して、後（あと）に残った「我考える」を保証するものがなくなると――正常な本能的価値を維持することができなくなるが故に、ニヒリズムに陥るのである。

　こうしたアメリカ軍人の話を私は噂としては聞いていたが、こうして画像を見せられると「ああ、やっぱりか」と正直思った。それに彼らが歴史的古層に虐殺史を持っていれば、そういう発想が生まれることはなんら不思議ではない。

　ここでは西洋にそうしたニヒリズムの思想が、どのように育っていったかについて述べるわけだが、正直、私に読者を納得させられるだけの論理性を持ち合わせているか、その自信はない。が、とにかくそれを箇条的に述べる。

一　まず宇宙論的なところから始める。今日、宇宙物理学では、宇宙は高速度で膨張しているとの論が主流を占めている。それが正しいかどうかは別として、地球上生命が半ば闇雲に、食うか食われるか、殺すか殺されるかの中で進化してきたという事実を受け入れて、それがその膨張の延長線上にあるものだと理解すれば、それは生が上昇する意志を持っていることだ、と私は解釈した。
　なお、この生の上昇する意志とは、ニーチェの「力（権力）への意志」を私風に解釈したものである。そしてこの闇雲に生を上昇させようとする意志のなかで、特に進化を押し進める弾みとなる意志を「集団ヒステリー」と呼ぶ（その具体例は後述）。生命がそのように進化してきたと考えられれば、サルから進化してきたヒトは、当然それらの意志を超歴史的古層に内包しているはずである。

だがヒトは、言語による意識を持つことによって、理性的なものの下に、法律、道徳等による国家、社会等の秩序によってそれを維持する知恵を得て生きる存在となった。その結果、その秩序が崩れれば、権力への意志が集団ヒステリー化することは特別異常なことではない。

二　さらにその宇宙をどう理解するかであるが、インド哲学においてはそれを「0（ゼロ）」の概念で捉えた——無から無限へと解した——から、彼らの思想の根拠は、結局のところ「0（ゼロ）」に集約される「解脱」の方向へむかうことになった。

それに対し、砂漠に発生源をもつ西洋キリスト教文明という「有の数字」から成る哲学と宗教は、「1（イチ）」から無限へと向かうから、それは「有の数字」から成る価値の拡大となるが故に、それは欲望の世界へと向かうことになった。それは『聖書』の思想が自己偽善によって済し崩し的に改竄され、それが欲望の資本主義を生み出したことを考えれば分かろう。

三　砂漠に生まれたキリスト教は、自然物に神々を見ることなく、それを天に求めることで、自然は神の属性に過ぎなくなり、これが後に「有の数字」から成る科学による自然への侵略と同時に、それが人間（キリスト教）中心主義の思想を生み出していくことになる。従って科学は神によって保証されたものだから「科学の進歩」は善と捉えられることになった。ここに自然は、神の保証の下に「有の数字」に基づく科学の対象となったが、しかしその科学をもって『聖書』を批判することはできぬ、という矛盾を孕むことで、科学を歪（いびつ）なものにしていった。つまり科学とは、神とは無縁な食うか食われるか、殺すか殺されるかの生命進化の延長線上にあるだけのものだ、ということが忘れられていったのである。すなわち自ら作り出した神に、殺生権が与えられたのである。

その事実は、病原菌もまた生命であり、その生を上昇させようとヒトを侵略するだけであって、それを人間の都合で、医学と称して殺しているだけのことだ、ということである。それはヒトが牛や豚を殺し食っているのと同じであって、人間中心主義に生きるヒトは、自分の都合で世界に善悪の価値観を付けているだけなのである。

さらに戦争などにおいて、ヒトが科学の対象に含まれれば――神はそれを可能にする存在だから――ホロコースト、原爆投下もなんの問題もなく行われた。

そして原子力を平和利用の名の下に、発電所を作ってもそれは所詮ヒトの知恵でしかなく、呆気なく崩れ去ってしまうものだという事実を、欲望人間は実に簡単に忘れるのである。

このように西洋文明はヒトを増上慢にし、科学の万能を信じさせ、そしてその同じ能天気な土壌から、カント、ヘーゲル、マルクス等の思想家が生まれることになったのである。なぜ能天気かと言えば、彼らの思想の歴史的古層にはニヒリズムが潜んでいることが分かっていないからである。そして当然、今も分かっていない。

四　人間中心主義のキリスト教は、イエス・キリストを神の子としたが故に、その信仰者には当然、選民意識が生まれることになった。ただし選民思想は特にユダヤ教に強いもので、それがユダヤ人迫害の一端ともなったのだが、奇妙なことに、キリスト教徒による彼らへの迫害には、ユダヤ・キリスト教と言うことから分かるように、ユダヤ教自身が内包しているものなのである。

またその選民意識は、アメリカの黒人奴隷を生み出すことにもなった。

キリスト教徒のそれは、選民意識というよりは、ヒトが本来もつべき群れ本能的価値を失い、それを「我考える」キリスト教集団価値に置き替えることによって、ニーチェの言う「肉体のもつ大いなる理性」、「肉体のなかに住む『本来のおのれ』」である「肉体」（四次元身体）の思想を失い、「意識」（三次元身体）だけの思考しかできなくなってしまったことにある。

この「我考える」キリスト教集団価値による思考法とは、「我」という個の思考によって、それぞれはばらばらであるが、一旦、個の意識がキリスト教集団価値に集約されると、団結するというものである。これがいわゆる個人主義といわれるものであり、彼らの愛国心とはそうした性質のものである。

そしてそれは、一般的に言えば、演説のうまい、ある意味悪知恵の働く、そして自らも集団ヒステリーに陥っている権力者――そこには独裁者と呼ばれる人間も含まれる――が現れると、大衆は容易に集団ヒステリーに陥る。

さらに重要なことは、彼らは「我考える」キリスト教集団価値を生きるが故に、「我考える」による思想、理念等（むろんこれらも虚構〈嘘〉）を通して、自己自身を騙す自己偽善によって集団ヒステリーを起こすこと——そこには起こした当人も含まれる——だということである。しかし当然、彼らにその自覚（意識）はない。なぜならヒトは、俗な言い方をすれば、「無意識」（歴史的古層）にコントロールされて生きる存在だからである。

それを正しく言えば、ヒトは価値（言語）という虚構（嘘）の世界を生きているから、——別言すればヒトの主体は虚構だから——自分の嘘（洗脳されていること）を保証するものは神しかなく、しかも神とは「自分で作り出し、それに隷属する」（これは思想、理念等についても言える）性質のものだから、それは本人がどう考えようとも、まさに無根拠性の上に成り立っているものなのである。しかも神の存在は絶対に科学によっては証明されぬ性質のものである。

ヨーロッパにおいては、すでに第一次世界大戦前からこのニヒリズムは彼らの歴史的古層に横たわっていたのだが、それが明らかになるのはその大戦だから、そこから始める。

　それはオーストリア皇太子暗殺（サラエボ事件）という、ある意味些細なことから始まった。従って彼らは戦うための明確な根拠を持たなかった。

　なぜなら愛国心と呼ばれるものは、その本能的価値において、生命のもつ防衛攻撃的本能に由来するものだからである。そしてその防衛攻撃とはあくまで一つの概念であって、防衛だけ、攻撃だけというものではない。

　そのことはいくら愛国教育を行おうとも、その言語が三次元身体だけでは駄目で、四次元身体に達しなければ――つまり防衛攻撃的本能を呼び起こさねば――ならぬということである。

　戦前の日本兵が、あたかも愛国教育によって動かされたかのように思うのは誤解である。それはそれまでの日本人が無智の下にある無常観、つまり生を夢幻（ゆめまぼろし）と見る価値観が意識を占めていたからである。それが戦後にわかに「生は得」という知恵を付けられたから、その無智な頭は平和にしがみつき、あたかも愛国心が悪であるかのような見方しかできなくなってしまったのである。

　それが証に、今日どれほどの日本人が無常観を理解しているかを考えてみれば分かることである。例えば月を見て美しいと感じる人間はまず居らず、そこへ行くことを考える人間の方がはるかに多くなったことである。従って日本人は古典を読まなくなり、と言うより理解できなくなってしまったのである。それは今日、雪月花、夏炉冬扇がほぼ死語になっていることを考えれば分かることである。

話はちょっと逸れたが、防衛攻撃的本能とは、ヒトが牛、豚を殺して食うのも、病原菌を殺すのもそれだ、ということである。

そうであれば、サラエボ事件によって、兵士たちはなんで自分たちがこんな酷い目に遭わされなければならぬのか、と感じるのは当然だろう。たとえ愛国心という、三次元身体における洗脳による神の保証はあるにしても、四次元身体（防衛攻撃的本能）においては、ほとんど無価値とも思えるもののために戦っているという意識が、潜在的にあったとしても不思議はない。

このことは、彼らにとって空洞化した愛国心という価値の下に強いられた戦争だった、ということである。しかもそこには、神に保証された科学の下に生まれた様々な殺人兵器があったから、その殺戮は凄まじいものとなった。そうであれば、彼らの戦う唯一の理由は、殺し合いのなかから生まれた憎しみによる集団ヒステリーだけだった。

これはなんの価値もない、ただ神の名の下にある愛国心による戦争であって、そのことは事実上、神の死を意味する。ヨーロッパにおいて、神の価値が下がった理由はここにある。

これは「肉体のもつ大いなる理性」、「肉体のなかに住む『本来のおのれ』」を育むような思想進化をしてこなかった西洋文明の本質的問題である。

これがニーチェの言う、来るべき二〇〇年のニヒリズムであり、私の、三〇〇年後の人類の没落である。

さらに第二次世界大戦におけるナチス・ドイツのニヒリズムである。

まず貧困下にあったワイマール共和国から、ヒトラー率いるナチス党が生まれたことである。

その理由の一つとして、西洋は大陸国家（例外はイギリス）であり、従ってそこには文字通り歴史的古層において、侵略国家を生み出す土壌があった。

ヒトは群れを生きる存在――「我考える」キリスト教集団も群れ――であるから、

そうした国家を率いるためには、強いリーダーシップが必要となる。そのための要件として、自らを自己偽善に陥れられるほどに、演説がうまく、悪知恵に長けていなくては、大衆を集団ヒステリーに引き入れることはできない。ヒトラーはその点、申し分のないリーダーとしての資質を持っていた。

彼の演説のうまさは有名であるが、ここで悪知恵というのは、一寸話が逸れるようだが、鳥インフルエンザというものを想像してもらいたい。

少なくともそれをテレビ画像で見る限りは、大きな穴が掘られ、防護服に身を包んだ人々によって、大量の鶏が殺処分される光景を見ていると、多分ほとんどの人が恐ろしい病気だという印象を覚えるに違いない。だがそれが、単なるインフルエンザに過ぎぬと認識しているのは、医学関係者等の一部の人々に限られる。

私の言いたいことは、仮に医者に行って「あなた、インフルエンザです。殺処分させていただきます」と言われたら、この医者、狂っているに違いないと思うだろう。

しかし人間の理性とはそうした範疇の中のものなのである。なぜならヒトとは価値という嘘に洗脳されて生きる存在であって、後はその嘘によって他人をいかにうまく騙すかの問題だけなのである。

では、なぜ鳥インフルエンザのために、そんな大袈裟なことをするのかと言えば、それが養鶏業者にとって死活問題だからである。しかしテレビ・メディアはそういうことは説明してくれない。自分で考えるしかないのである。

実はヒトラーのやったことは、これと同性質のものである。つまりドイツ国民に、メディアを通してユダヤ人インフルエンザの恐ろしさを吹き込んだのである。唯一異なる点があるとすれば、ユダヤ人が悪であるのは神に保証されたことだ、ということである。そしてそれを理由に、ユダヤ人の財産を巻き上げ、それによって一層、権力基盤を固めたのである。

しかしヒトは自己偽善によって自分で自分を騙し、それによって他人(ひと)を騙して価値の拡大を図る存在であるから、ヒトラー自身も、ユダヤ人インフルエンザ恐怖症集団ヒステリーに陥り、彼らを焼却しなくては済まなくなるまでの、自己偽善に陥ってしまったのである。

これはある意味、神を殺し自らが神になった、つまり自らが作り出した神(思想)に、彼自身隷属することになった、ということである。

そうした彼の集団ヒステリーによる頭のおかしさは、ソ連進攻にも見て取れる。いくら共産主義が嫌いだからと言って、それがいかに愚策であるかは、ナポレオンを例に持ち出すまでもあるまい。仮にソ連を占領できたとして、いったいあの広大な領土をどう統治しようと言うのか？　もはや軍事的集団ヒステリーに陥り、神になった男にそうした思考は生まれない。後は没落しかない。

次いでアメリカのニヒリズムである。

そもアメリカの歴史は、デカルトの神殺しの受け入れから始まり——彼らが彼の神を支持したという意味——それを受け継いだフランクリンの神を利用した、金儲けのための神殺しに受け継がれ、さらにそれが資本主義へと繋がっていく。

これは事実上、『聖書』の神が死んだということである。が、しかし自己偽善によって神が金になることを、歴史的古層において知ってしまった彼らは、神に死なれては困ることになる。従って同じ自己偽善によって神を生かし続けてきたのが、第二次世界大戦前までのアメリカである。

まずF・ルーズヴェルトから始める。

彼の大東亜・太平洋戦争における日本への罠は見事に当たり、「騙し討ち」としてアメリカ人を戦争への愛国的キリスト教集団ヒステリーに陥らせることができた（ここでは日本の愚について触れない）。

しかしこの下地にあったのは、彼の経済政策の失敗を戦争による軍需景気によって、復興させせようとする目論見があったことである。

失政を戦争によって挽回しようというのは独裁者の手口である。つまり彼は、しなくてもいい戦争を、自らの権力維持のために、自国民を愛国的キリスト教集団ヒステリーに陥らせ、多くの兵士を死に追いやったのである。

私が民主主義におけるシビリアン・コントロール（文民統制）を支持しないのは、この例でも分かるように、政治家は自らの権力のためには兵士等をいくら死なせ、殺そうとも痛くも痒くもない、ということである（ヒトラーも同様である）。

それはアメリカの政治家をして、無意識にも「我考える」キリスト教集団価値に基づく愛国心に訴えれば、国民を容易に軍事的集団ヒステリーに陥らせることができる、という誤解を根付かせることになった。

このことは、西洋人はデカルト以来の三次元身体の意識（言語）の世界を生きてきたから、愛国教育という言語的洗脳を行えば、愛国心は身に付くもの、という誤った理解を植え付けることになった。

これはアメリカの愛国映画を見ていて、またケント・ギルバート氏の著作から彼らの愛国教育の仕方に違和感を覚えて、私なりに考え得た結論である。

すでに第一次世界大戦のところで述べたように、愛国心の本質は「肉体のなかに住む『本来のおのれ』」である四次元身体のもつ防衛攻撃的本能に基づくものであって、必ずしも三次元身体である愛国的言語教育だけで、成り立つものではない。そしてそれはその後のアメリカの戦争において、あたかもそれを証明するような形に成っていった。

いずれにせよ、アメリカは第二次世界大戦後、超大国になったわけだが、さらにその後、段々とおかしくなっていく。ベトナム戦争、アフガニスタン戦争、イラク戦争と。これらは広い意味で、彼らの歴史的古層に宿る宗教戦争の価値観が、形を変えて現れたとも見える。

まずベトナム戦争で言えば、一応愛国心に基づいてはいるが、当然、戦場で戦っている兵士にしてみれば、本国でぬくぬくと暮らしている政治家、金持ちに対し「どうして自分たちはこんなベトナムという僻地で、しかも他国の戦闘に従軍しなければならぬのか」という、あくまで無意識ではあっても、思いが芽生えたとしても不思議はない。

しかし彼ら意識（三次元身体）に支配された世界を生きる兵士は、自分たちの四次元身体内の「我考える」キリスト教集団価値に縛られているから、それに目覚めることはない。あくまで無意識内のものである。

だが当然、そうした内面の矛盾を生きる兵士の士気は上がらない。なぜなら、ベトナムという他国の戦争では、兵士の四次元身体内における防衛攻撃的本能は目覚めぬからである。つまりヒトが群れ本能的価値（西洋人においては「我考える」キリスト教集団価値）を生きるということは、群れの縄張り内を生きるということであり、基本的にそれが侵されたとき闘争本能的価値に目覚める、ということである。従って愛国心が呼び起こされるのは、特に自国という縄張りが侵された時に起こるものだという関係にあるから――それはルーズヴェルトの「騙し討ち」にしろ、9・11同時多発テロ後のアフガニスタン戦争にしろ——そうした本能的価値に訴えてこぬ戦争は、いくら愛国心を叫ぼうが、四次元身体内の防衛攻撃的本能は目覚めぬのである。

斯くして、そうした内面の矛盾に気づきはじめた者の間から反戦の声が上がる。そしてそうした諸事情の下に、圧倒的軍事力を誇りながら、アメリカは事実上、敗退に追い込まれることになった。

さらに外形は異なるものの、9・11に端を発した、アフガニスタン戦争にも似たところがある。

彼らは神に保証された「我考える」キリスト教集団価値という「意識」の視点でしか思考できぬから——「肉体のなかに住む『本来のおのれ』（無）」の視点がないから——彼らは愛国心に基づく軍事的集団ヒステリーの価値のなかでしか思考できず、従ってソ連によるアフガニスタン戦争はなんの教訓にもならない。つまり、9・11同時多発テロの首謀者、オサマ・ビンラディンを討てば、それでいいだけのことだ、という発想ができない。

話はやや逸れるが、日本の戦国武将なら決してこんな馬鹿な戦争はしなかっただろう。

　なぜなら彼らはキリスト教のもつ宗教的集団ヒステリーを持たぬからである。あくまで「肉体のなかに住む『無』」から物事を見るから、その種の集団ヒステリーを持たない。

　なぜ武士が持たぬのかと言えば、彼らは政治と軍事との双方を担う存在であったから――つまり文民統制を執らなかったから――そのためには兵士（部下）との信頼関係が築けぬと、武将としての地位が保てぬという現実があった。

　例えば、それは甲斐という貧しい領国であった（金は採れたが塩がない）にも拘わらず、武田信玄が強力な軍事力を維持できたのに対し、はるかに豊かな領国を治めていた織田信長が、部下の信頼を得られなかったが故に、暗殺されたのは誰もが知るところである。

　日本人の人間関係は、古来、「和」であり、それがいわゆる集団主義と言われるものである。

　それに対し、アメリカの政治家、市民は、基本的にアメリカ兵がいくら死のうが、自分には関係ないという個人主義に基づいている。だから自分の身は自分で守るしかない。銃社会も、国民皆保険が成り立たぬのも、背景にそうした事情があるからである（彼らの本質には戦争狂、欲望狂への指向があるから、社会を不安定化させておくことは金になる、という思考が無意識に働いている）。

そしてアフガニスタン戦争は、ベトナム戦争同様に泥沼化していった。

さらにイラク戦争に至っては、何がなんだかさっぱり分からぬブッシュ（息子）大統領の取り巻き連中の、「我考える」キリスト教集団価値に基づく、愛国的集団ヒステリーによる戦争だった、ということである。その結果、中東のその地域が滅茶苦茶になったのは誰もが知るところである。

ところで、アメリカは憲法上、政教分離を称えているが、アフガニスタン・イラク戦争を見ていると、それは事実上、メイフラワー号以来の宗教戦争の歴史的古層の範疇から、抜け出しておらぬように見える。

かつてブッシュ（息子）政権時代に「古いヨーロッパ」と評した政治家がいたが、むしろ逆で「古いアメリカ」である。なぜならヨーロッパは二つの大戦の戦場となったから、嫌でも自らの歴史的古層に懐疑を抱かざるを得なくなり、その結果、それまで彼らが戦争、宗教等に持っていた価値観に警戒心、疑念を抱くようになっていた。従って、フランス、ドイツはイラク戦争に参戦していない。

それに対して日本は、召使日本国憲法を守ると称しながら、主人の命ずるがままに自衛隊を、いかにも召使風にイラクに派兵したのである。これはもはや文民統制以前の問題であって、国家の体を成していない。

ところで話は一寸逸れるが、こうしたアメリカの一連の戦争を見ていて気づかされたことがある。それは一に、戦争は金になるということ、二に、それが基軸通貨という経済の基本を守るためのものだ、ということである。そのことは国家とは軍事力と経済力との両輪で保たれている、ということである。が、これは別に真新しい考え方ではない。私が気づいたのは通貨の問題である。

少し前、仮想通貨というものが流行った。が、通貨とはもともと仮想という虚構（嘘）のものである。西洋の経済学者が意味不明な議論をするのは、基本的にそのことが分かっていないからである。分かっていないとは、ゲーデルの不完全性定理の本質が分かっていない、ということである。つまり資本主義経済という「色」は、なんら実体のない「空」だということである。すなわち、彼らは色即是空（「0」）の視点

を持つことのできぬ、「有の数字」を生きる人々だから、どこまでも資本主義という
ゴシック建築を積み上げられる、という幻想から抜け出せぬのである。
そうであれば通貨という、空（くう）なる紙切れの価値を保証するものはなにか、という問
題が起こる。
たとえばアメリカ・ドルがなぜ基軸通貨たり得るのか？　その答は偏に軍事力によ
るものである。だからアメリカは嫌でも世界に軍隊を送り、また中国は軍事力を増し
ているのである。
そのことはかつてポンドが基軸通貨であったのがドルに代わったということは、今
後、人民元がそうなってもおかしくない、ということである。その兆候と言えるかど
うか分からぬが、トランプ政権下におけるアメリカ国内の分断化である。
正直、私には単なる分断とは思えない。なぜならアメリカ大統領自らが、大統領選
に敗れたからと言って、それを不正選挙のせいにし、またそれを支持する国民が多数
いるということは、アメリカ民主主義の価値観そのものの崩壊と私には映る。なぜな
ら発展途上国ならいざ知らず、民主国家であるとは選挙に不正のないことを前提とし
て成り立っているからである。その選挙を否定したらもはや民主国家ではない。私に

はこれがアメリカの終わりの始まりとさえ映る。

が、アメリカに限らず何事にも終わりがある。それはローマ帝国の廃墟を思い起こせばよいだけの事である。それだけの事だと思えば、別にどうということもない。

それは資本主義もいずれ、自然を食い潰すことによってか、核によってか、地球温暖化によってか分からぬが、空になるということである。それは地球の歴史にも、かつて恐竜の時代があったように、いずれ人類の時代があったという話になるだけのことで、無常を生きる人間から見れば当たり前のことである。

以上をもって一応ニヒリズムへの言及を終えるが、それを一言でいえば、神を戦争、科学のために利用し、それによって集団ヒステリーによる愛国的戦争を生み出したのと同時に、「有の数字」に基づく自己偽善によって、自らを欲望人間化することによって、神を殺していった過程と言えよう。

なお、これ以下、これまでの内容に関して補う点、気づかされたことを補記する。

まず、なぜほとんどの人にニヒリズム（ニーチェや私の考え）が分からぬのか、と言うことである。

たとえば識者は、ニヒリズムを最高の諸価値の崩壊、と言ったような説明をする。定義（理性）としてはそれで正しいかもしれない。しかしそれで何が分かったと言うのか？　多分なにも分かっちゃおるまい。そこには肉体がないからである。

譬えば「拷問」とは何か、と言われたとき、それを辞書的に定義すれば、他人（ひと）の肉体に苦痛を与え苦しめること、ということになるだろう。しかし現に拷問を受けている人間にとって、そんな説明は意味をなさない。なぜなら、その人にとっては、肉体の苦痛から生ずる悲鳴以外のなにものでもないからである。

ニヒリズムもこれと同じである。それを外（そと）から見れば最高の諸価値の崩壊になるかもしれぬが、現にニヒリズムに陥っている人間にしてみれば、ただ悲鳴を上げるしかないから、ニーチェや私が何を言ってるのか分からぬのである。そも悲鳴状態を「章に区分けして、小見出しなどを設け」ることなど不可能なのである。

ニヒリズムへの誤解は、そのように頭（理性）で考えるところから生ずる。ニヒリズム、無という肉体に属する問題は、「肉体のもつ大いなる理性」で解くしかないのである。そして敢えていえば、ニーチェはその拷問に耐えられなくなって、発狂したとも言えるのである。

最後に一言。

先日、ある学者のプラトンに関する著作を読んでいたら、そこにはまさにレーヴィットのいう二階と階下を繋ぐ梯子がないのである。つまり日本人にとってプラトンがどう関係し、どんな意味があるのかという、言わばそれを「考える」能力がないのである。そしてその人物の略歴を見たら、東大の学長を歴任しているという事実に、日本が駄目になるのも無理ないと思った。

それは二階にプラトンはあるが、階下はまったく空っぽであって、ただ暗記鸚鵡がその知的暗記のなかで、それを弄(いじ)くり回しているだけなのである。戦後の日本人はほとんどこれである。

この人物になにが欠けているのか、それについて前掲の佐伯氏の文章から再び引用させてもらう。

西田幾多郎が言ったのは、東洋では無意味であることが最初から前提になっているということです。言ってみれば「無根拠」ではなく、「無」が「根拠」となりうる。

言うまでもないが、氏が「東洋」というのはインド哲学のもつ「0（ゼロ）」の価値観であり、そこから日本へ波及した「無」である。

この人物に欠けているのは、日本で唯一「考える」ことのできた武士、禅者のもつ無が階下になかったことである。

福沢の無（士風）が成功したのは、あくまで二階である西洋文明を外観から捉え、それを「一国独立」という階下のために、どう利用すればいいかを「考えた」からであって、彼はその文明を生み出した西洋人の内面に足を踏み入れなかった。

他方西田は、二階である西洋哲学という彼らの内面に、階下から無（「0（ゼロ）」）を根拠に足を踏み入れたから、彼は混沌世界に陥ってしまったのである。

なぜなら日本文明の本質が、「肉体のなかに住む『無』」を根拠としているのに対し、西洋文明は、肉体のない、意識という虚構の世界を生きているからである。しかも後者は、「有の数字」から成る哲学と宗教とであって、それはさながらゴシック建築のように、上へ上へと積み重ねられていくものだから、それは「『0』の哲学」とは水と油との関係にある。

そこから日本の武士、禅者は「無私」で「考える」という思考法に至り、西洋人は神をダシに強引に「我考える、故に我あり」としたのである。

しかしそも生命は、そのＤＮＡ（超歴史的古層）において、単独者であるということは有り得ず、従ってたとえヒトに進化したからといって「私は考える」ことなどできぬのである。

戦後の日本人が「私は考える」と思っているのは、その空っぽ頭を洗脳され、その暗記知識をもって、日本「村」人のもつ歴史的古層の上をなぞることを「考える」ことだ、と思っているだけなのである。つまりそれは召使の「考える」であるから、主人が代われば「私の考え」も主人と同じものになる。それは鬼畜米英が、簡単に「間違った戦争」になり、民民ゼミになった理由である。

言い換えれば、日本人は絶対に「主観」から世界（客観）を見ることはできず、唯一「無」からしかできぬのだが、戦後の日本人はそれさえ失ってしまったから、文字通り付和雷同の視点から――戦前は軍国支配者、戦後は西洋というように――ただ主人の命ずるがままにしか見れぬ、というのが現実である。つまり戦後の知識階層の人々の頭とは、ほぼ階下は空っぽで、二階で民民ゼミの大合唱をやっているだけなのである。

さらに佐伯氏の前掲書の今少し後の部分を引用させていただく。

日本文化の核心にはこの「無」というものがある。「無」であるがゆえに、それはすべてを包含しており、天皇という存在も日本文化の中心にある「無」を表しているのです。

このように考えれば、ニヒリズムなどということは、もはや問題にならない。この東洋的思想もしくは日本思想をもってすれば、西洋思想が陥った袋小路を脱することが可能となるのではないだろうか。

これが西田を中心とする京都学派の、もう一つの柱となる論点だと、言ってよいでしょう。

ぎりぎりの思想的試み

しかし残念ながら、これは世界には通用しませんでした。世界どころか、日本の中でも通用しなかった。

西田のこうした思想的試みが世界（西洋）に通用しなかったのは、すでに述べたように、日本人（武士、禅者）が「肉体のなかに住む『無』」から意識を見上げて（フロイトは逆に意識から無を見下ろして）思考をしたのに対し、西洋人は、意識という肉体のない虚構（嘘）の世界——それを保証しているのがデカルトの神——を生きることになったからである。なぜ後者がそうした選択をしたのかと言えば、神に保証された肉体のない意識という虚構（嘘）の「我考える」の方が、（自己偽善を含めて）戦争に強かったからである。

しかしそれがニヒリズムを孕んでいることを、ニーチェに指摘されるまで（と言うより指摘されても）、彼らはそれを理解できるような頭の構造をもはや持っていなかった。なぜなら彼らは「我考える」キリスト教集団価値のなかでしか、考え生きることができなくなっていたからである。

その典型は、欲望に取り憑かれたアメリカが、今日、戦争と金儲け（例えばリーマン・ショック）に明け暮れる姿は、まさに『聖書』の神の死んだニヒリズムそのものである。

そうであれば「西洋思想が陥った袋小路を脱することが可能となるのではないだろう

か」は、もはや手遅れの域の問題である。

いずれにせよ、戦後日本人（学者、知識人等）の頭の悪さは、肉体（無）で考えず、頭（暗記知識）で考えるからである。頭の悪い方が楽に金を稼げるのである。

あとがき

私は本書「序」を「私が祖国と愛国心を捨てた理由」で始めているし、その積りでいた。しかし巷を騒がせた「森氏、女性蔑視発言」なるものを見聞き(みき)するにつれ、戦後の日本人とはここまで情けない民族に成り下がったのかと、涙が流れるというより、三島のように腹を切ってどうにかなるものなら、そうしたいくらいであった。

森氏の発言の骨子は「女性が会議に入ると長くなる」というものだが、こんなことは当たり前のことである。この当たり前のことが分からぬほど、戦後日本人はその知力を失い、訳の分からぬ「国際」（西洋）にその空っぽ頭を乗っ取られてしまったのである。

三島はその檄文で「自由でも、民主主義でもない、日本だ。われわれの愛する歴史と伝統の国、日本だ」と書いている。

自由や民主主義は国際である。しかし日本には我が国の歴史と伝統がある。つまり女性が会議に入ると長くなるのは、日本女性は昔から井戸端会議という他愛もない話を長々とする歴史的古層を持っているからである。それはそれだけ日本が平和だった、ということである。

これは女性が社会進出したがらないのも同じである。世間は男の縄張り、奥向きは女のそれと決まっていた。それは「男子、厨房に入るべからず」という掟のあったことからも明らかだろう。つまり日本女性はその歴史的古層において、社会に出たくないだけの話で、それを「国際だ、国際だ」と言って引っ張り出そうというのが、そもそも無理なのである。

それに対して、西洋が男女平等なのは、そこが日本のように平和ではなく、侵略されれば男女平等に殺され、奴隷化されるような所だったから、女性が井戸端会議などやっていられるような環境ではなかった、というだけの話である。

この今回の騒動は、図らずも戦後日本人の「考える」能力ゼロを証明することになった。なお、森氏がその職を辞するまでの経緯(いきさつ)を見ていると、あたかも大東亜戦争の再来に遭ったかのような気分になった。つまり日本「村」人の歴史的古層はなんら変わっていないと。それはかつてチェンバレンがあげた、「付和雷同を常とする集団行動癖や、さらには『外国を模範として真似するという国民性の根深い傾向』である」(『逝きし世の面影』)。要するに主体性「0(ゼロ)」の、何一つ「考える」根拠(レーヴィットの言う梯子)を持たぬし、また持とうともせぬ民族だ、と言うことである。しかもこれは頭の良し悪しの問題ではなく、思想退化のそれだからどうにもならない。

著者プロフィール

堀江　秀治（ほりえ　しゅうじ）

昭和21年生まれ。東京都出身、在住。
慶應義塾大学を卒業、その後家業を継ぐ。
特筆に値する著書なし。

人類の没落　西洋のニヒリズム

2021年６月15日　初版第１刷発行

著　者　堀江 秀治
発行者　瓜谷 綱延
発行所　株式会社文芸社
〒160-0022　東京都新宿区新宿1－10－1
電話　03-5369-3060（代表）
03-5369-2299（販売）

印刷所　株式会社フクイン

ISBN978-4-286-22739-9